入門編

知りたい！
韓国の文化と社会

朴 貞 蘭

HAKUEISHA

はじめに

　本書は、韓国の文化と社会に関するもっとも基礎的なことがらを取り上げた「入門編」の教科書です。筆者が「日本・アジア文化論」という教育科目で、「韓国編」として行っている講義の内容を簡単にまとめたものであるため、教員による追加説明が必要です。

　各課では、大韓民国の概要、文字、衣食住、冠婚葬祭、文化遺産、南北分断と統一問題、政治、経済、観光、就職活動について、入門レベルで解説しています。これらの解説本文の他に、学習目標、さらに調べる、調査する・考える・発表する、講義ノート1・2、課題シートの構成となっています。

　　学習目標：
　　講義前に、学習目標を確認しておきましょう。

　　本文：
　　韓国の文化や社会について各テーマに合わせてそれぞれ説明しています。

　　さらに調べる：
　　本文と関連しているキーワードを提示し、その項目に関しての簡単な解説をしています。

　　調査する・考える・発表する：
　　自主調査・グループ学習ができるように、本文では取り上げていないキーワードを挙げています。学習のヒントとなる主要事項や近年話題となっている事項のキーワードです。ここでは、これらのテーマやキーワードについて、個人またはグループで調べ、その内容についてメンバーで話し合い、発表することを目指します。

講義ノート1・2：

受講の際に利用できるノートです。各回のテーマや学習目標が記入できるの
で、授業の冒頭にテーマや学習目標を書いておきましょう。

課題シート：

担当教員からの課題を作成する際に利用できるシートです。課題テーマに合わせて
シートを作成した後、各大学におけるレポート提出ツールに合わせて、提出してく
ださい。

参考文献：

本文の理解に役立つ参考文献リストのほか、自主的な学習を手助けするために、各課
に関連のある資料やデータが閲覧できる関連機関の機関名やホームページを記載して
います。機関によっては、韓国語のほか、英語や日本語などの言語に対応できるとこ
ろも多いので、積極的に利用しましょう。

　最後になりますが、厳しいスケジュールを調整していただき、本書の出版を快
く引き受けてくださった博英社の中嶋啓太代表取締役と著者である私よりも本書に
愛着を持って、最後までご丁寧に編集作業をしていただいた三浦智子編集委員に心
から感謝申し上げます。また、本書の原稿を読んでいただき、貴重なコメントをし
てくださった安田敏朗（야스다 도시아키）先生にも深く感謝いたします。

2023年3月

朴　貞蘭

目次

大韓民国の概要 대한민국의 개요

学習目標

◆ 大韓民国の概要について理解できる。

◆ 韓国と日本における宗教の特徴ついて説明できる。

◆ 朝鮮半島の歴史の概要について説明できる。

||| 大韓民国

　韓国の公式国家名称は、「大韓民国」(대한민국)である。大韓民国（以下、韓国）は、国民すべてが「主」(주인) になる国という意味があり、また大韓民国を略して「韓国」という。韓国語では「대한민국」、英語では「Republic of Korea」と書く。韓国を「South Korea」とする場合もあるが、これは「朝鮮民主主義人民共和国」(以下、北朝鮮)と区別するために使う名称である。なお、韓国では北朝鮮のことを「北韓」(북한)とし、北朝鮮では韓国のことを「南朝鮮」(남조선)と称している。

||| 位置と気候

　アジア大陸の北東部に位置する「韓半島」(以下、朝鮮半島) の面積は約22万㎢である。南北を合わせた長さは約1,030kmで、陸地の幅が最も狭いところで175kmと細長い形をしている。韓国の総面積は約100,363㎢（世界107位）で、首都はソウル特別市(서울특별시)。また温帯気候であり、春、夏、秋、冬と四季の区別がある。

||| 行政区域

　市(시)、道(도)、郡(군)、区(구)、邑(읍)、面(면)、洞(동)という行政区域(행정구역)で分けられている。現在、韓国には1つの特別市と6つの広域市、1つの特別自治市があり、8つの道と1つの特別自治道がある。行政区域の「道」の名称の由来は興味深い。まず、「京畿道」(경기도)の「京畿」は、ソウルの周辺の土地という意味から始まった。昔、王が住む宮殿から500里以内を京畿と呼び、そのまま自然と京畿道という名称が付けられた。他の道の名称は、その道の代表的な地域の名称から一文字ずつ取ってつけられた。例えば、江原道(강원도)は「江陵」(강릉)と「原州」(원주)から、慶尚道(경상도)は「慶州」(경주)と「尚州」(상주)から、全羅道(전라도)は「全州」(전주)と「羅州」(나주)から、忠清道(충청도)は「忠州」(충주)と「清

州」(청주)の頭文字から取ってつけられたものである。

◆ 特別市：ソウル特別市
◆ 広域市：釜山広域市(부산광역시)、大邱広域市(대구광역시)、仁川広域市(인천광역시)、光州広域市(광주광역시)、大田広域市(대전광역시)、蔚山広域市(울산광역시)
◆ 特別自治市：世宗特別自治市(세종특별자치시)
◆ 道：京畿道、江原道、忠清南道(충청남도)、忠清北道(충청북도)、全羅南道(전라남도)、全羅北道(전라북도)、慶尚南道(경상남도)、慶尚北道(경상북도)
◆ 特別自治道：済州特別自治道(제주특별자치도)

‖‖ 人口

　1949年には約2,019万人、1970年には約3,088万人、1985年には約4,045万人だった韓国の総人口は、2023年1月に発表された統計庁のデータによると、約5,156万人になっている。ソウルおよび首都圏に人口(인구)が最も集中しており、釜山広域市、仁川広域市、大邱広域市、大田広域市、光州広域市、蔚山広域市の順に人口が集まっている。

‖‖ 国旗：「太極旗」

　韓国の国旗を太極旗（태극기，テグッギ）と呼ぶが、現在の国旗の形は1949年10月15日に定められた。太極旗は、白色の背景に赤と青の太極図が中央にあり、その四隅には4つの卦（괘，け）がデザインされている。白は明るさと純粋さ、そして平和を、赤は尊貴さ、青は希望、そ

の赤と青が合わさった太極模様は（陰と陽が）調和された宇宙を意味する。4つの卦は、それぞれ空（건，乾☰）、土（곤，坤☷）、水（감，坎☵）、火（리，離☲）を指し、自然の調和（자연의 조화，お互いに変化し、発展している様子）を表現している。

||| 国花：「槿」

韓国の国花である槿（무궁화，ムグンファ）は、朝鮮半島全域に広く分布している。槿は「不滅」（불멸）を意味する「無窮」から由来する。7月初旬から10月末頃まで毎日花を咲かせ、その数は一本の木で2千余りになると言われている。咲いている期間も長く、昔から韓国で愛されている。槿と太極旗の模様は、韓国の国家紋章の基礎と

なり、この国家紋章は、韓国の勲章、大統領の表彰状、旅券などに描かれている。

||| 国歌：「愛国歌」

愛国歌（애국가，エグッガ）は、1896年独立協会によって初めて国歌の必要性が提起されてから、様々な歌詞・楽曲で歌われていた。現在の国歌は、安益泰（안익태，アン・イクテ）が1935年に作曲したものである。1945年、金九（김구，キム・グ）は、愛国歌を国内外に広く普及するために、韓国語・英語・中国語に翻訳した韓国愛国歌集を中国で発行した。そして、1948年8月15日、大韓民国政府樹立記念式で愛国歌が歌われ、ここで国歌として正式に認められた。

‖‖ 韓国の公休日（祝祭日）

　韓国では、公式の休日を「公休日」(공휴일)という。次に述べる公休日以外に、選挙日と日曜日が公休日に該当する。

▼ 西暦の1月1日(신정)

日本の元日に該当する日。初日の出を見に海や山へ出かける。

▼ ソルラル(설날, 旧暦の1月1日)

旧暦1月1日が韓国の元日である。「ソルラル」当日と前後1日ずつの3日間が休みとなる。韓国では西暦の1月1日よりも重要な日とされている。ほとんどの会社は休みとなり、多くの人々が帰省する。また、「トックク」(떡국, 雑煮)を食べ、凧揚げや「ユンノリ」(윷놀이, すごろく)など、昔ながらの遊びをして過ごす。

▼ 三一節(삼일절, 3月1日)

1919年3月1日に朝鮮民族が独立宣言文を発表し、全世界に独立の意思を知らせたことを記念して作られた日。

▼ 子どもの日(어린이날, 5月5日)

日本と同じく韓国も5月5日が子どもの日。まっすぐ元気な子に育ってほしいという願いを込めて作られた子どものための記念日。この日は公園やテーマパーク、動物園、映画館などで、子どもと家族を対象にした様々なイベントが行われる。

▼ 釈迦誕生日(석가탄신일, 旧暦の4月8日)

仏教のお釈迦様誕生日（花祭り）で、韓国では「お釈迦様がいらっしゃった日」（부처님 오신날）とも呼ばれる。全国の寺ではこの日を記念する様々な行事が催され、華やかな色とりどりのランタンがずらりと吊るされた独特な光景を見ることができる。

▼ 顕忠日(현충일, 6月6日)

国家のために命を捧げた人々を追慕する日。ソウルの国立墓地で記念行事が行われる。

▼ 光復節(광복절, 8月15日)

1945年8月15日の日本の植民地統治からの解放（独立）を記念する日。

▼ 秋夕(추석, 旧暦の8月15日)

秋夕当日と前後1日の3日間が休みとなり、ソルラルと同じく重要な日とされている。秋夕は収穫感謝祭とも呼ばれ、穀物や果物など、様々な作物の豊作を感謝する日である。この日は家族や親戚が集まり、茶礼（차례, チャレ）という祭祀を行い、墓参りをする。

▼ 開天節(개천절, 10月3日)

朝鮮半島の最初の国家である古朝鮮の建国を記念して作られた日。この日は江華島 (강화도)の摩尼山塹星檀 (마니산 참성단)、谷城檀君殿 (곡성 단군전)、太白山檀君殿 (태백산 단군전)、曽坪檀君殿 (증평 단군전)、ソウル檀君聖殿・白岳殿 (서울 단군성전・백악전)など各地で祭祀が行われる。

▼ ハングルの日(한글날, 10月9日)

世宗 (세종, セジョン) がハングルを作り、世の中に広めたことを記念し、ハングルの優秀性を広めるために定められた日。

▼ 聖誕節(성탄절・크리스마스, 12月25日)

イエス・キリストの誕生を祝う日。他の国と同じく、韓国でも市内各所にクリスマスツリーやイルミネーションが飾られ、クリスマスらしい雰囲気になる。

||| 宗教

　韓国は憲法によって信教の自由が認められている。統計庁で韓国人を対象に宗教(종교)の有無について調査した結果、「無宗教」と答えた人は全体の56.1%で、「信じる宗教がある」と答えた人は43.9%だった。「信じる宗教がある人」にどの宗教かという質問には、キリスト教のプロテスタントが19.7%、仏教が15.53%、キリスト教のカトリックが7.93%の順であった。その他に、圓仏教 (원불교)、天道教 (천도교)、儒教 (유교)、道教 (도교)などがあり、「巫教・巫俗信仰」(무교・무속신앙, シャーマニズム)も日常生活に影響を与えている。

▼ 仏教

仏教が伝来したのは、紀元4世紀頃の三国時代である（時代区分については次の「歴史」を参照）。三国時代の仏教は、シャーマニズムと合わさった独特な仏教文化を創り出した。慈悲（자비）を強調する仏教は、王や貴族はもちろんのこと、庶民の生活にも深く影響を与えた。高麗時代にも仏教がもっとも重要な宗教として国家の運営に大きな影響を与えた。モンゴルが高麗を侵略した際に、仏教の力で困難を克服しようと、16年間に渡り「八万大蔵経」を制作した。しかし、朝鮮時代になって、儒教を国教としたために、仏教への抑圧が始まった。そのため、朝鮮時代の寺はほとんど山中にあった。今も韓国の寺は山にあることが多い。なお、新羅の都であった慶州市には、現在も仏教文化が感じられる寺、塔、仏像などの文化財が多く残っている。

▼ キリスト教

キリスト教は、イエスの教えに従い、愛の実践を強調する宗教であり、大きくプロテスタントとカトリックに分けられる。カトリックは、17世紀頃に西洋の学問と共に入ってきた。カトリックを学問としても受け入れた事例は、朝鮮半島がほぼ唯一だという。朝鮮の王や貴族は、「すべての人が平等」というカトリックの考えが朝鮮の身分秩序を崩壊させる恐れがあるとして、抑圧していた。カトリック信者と宣教師は処刑されたり、罰を受けたりしながらも、信者の数は増えていった。プロテスタントは、19世紀にアメリカやイギリスなどからの宣教師によって広められた。プロテスタントの布教とともに、宣教師により教会のほか、病院、学校が設立される。プロテスタントは、韓国の近代教育と保健に大きな影響を与えたとして評価されている。カトリックは聖堂で、プロテスタントは教会で礼拝を行う。

▼ 儒教

儒教も仏教と同様、中国から4世紀末に高句麗に入ってきた。三国時代と高麗時代には、支配層が儒教を政治目的として利用し、教育していった。さらに、朝鮮時代には、儒教の「性理学」(성리학)が支配理念として位置づけられ、その上に宗教的な性格を持つことで次第に厳格な生活規範にまで影響を及ぼした。儒教の伝統ともいえる「親に対する孝行、目上の人に対する礼儀、家族の結束、先祖のための祭祀」などは、現在でも残っており、社会秩序や「孝」(효)思想の維持の観点からは肯定的に受け入れられている一方、序列を強調し男女を差別するなどの観点からは否定的に捉えられている。また、儒教文化に基づいて作られた教育機関である「郷校」(향교)が全国に数校ある。

||| 歴史

▼ 旧石器時代(約50万年前)

朝鮮半島には、旧石器時代から人が住んでいた。平壌(평양)近くでは、約50万年前に使用された石器が発見されている。

▼ 新石器時代(約1万年前)

朝鮮半島では、約1万年前に新石器時代が始まった。この時期に、食糧を保存するための土器が作られた。また農業が始められ、人々が次第に一つの場所に集まって住むようになる。

▼ 古朝鮮建国(B.C.2333年)

最初、朝鮮半島につけられた国名は「朝鮮」であった。しかし、1392年に建国された「朝鮮」と同名であったため、これらを区分するために最初の朝鮮には「古」を付けて「古朝鮮」と呼んでいる。古朝鮮は、檀君（단군, タングン）が建てた国とされている。

▼ 三国時代(B.C.57年〜)

古朝鮮以後、様々な国が建てられてはなくなった。そして朝鮮半島では、高句麗、百済、新羅の三国が残り、長い間争いつつ共存してきた。この時期に三つの国があったので「三国時代」と呼ぶ。

▼ 統一新羅時代(668年)

660年に新羅が中国の唐と連合して百済を倒し、668年には高句麗を制覇して三国を統一した。

▼ 渤海建国(698年)

朝鮮半島の南側には三国を統一した新羅が、北側には高句麗の後を継いだ渤海が建国された。

▼ 後三国時代(892年)

新羅、後高句麗、後百済の時代である。

▼ 高麗時代(918年)

王健（왕건，ワン・ゴン）が918年に高麗を建国した。高麗は、918年から1392年までの約500年近く続いた国である。

▼ 朝鮮時代(1392年)

高麗の腐敗した社会を改革しようと、軍人勢力と新しい官吏勢力が力を合わせて、1392年に李成桂（이성계，イ・ソンゲ）を王にして朝鮮を建国した。

▼ 開港(1876年)

朝鮮は1876年に日本と「江華島条約」(강화도 조약)を締結し開港する。開港がきっかけとなり「近代」(근대)が始まる。

▼ 大韓帝国(1897年)

開港により周辺国家からの政治的・経済的な干渉が激しくなる。そのため、朝鮮の王であった高宗（고종，コジョン）は、1897年に国名を「大韓帝国」に改名し、様々な改革を実施する。

▼ 日帝強占期(1910年～)

大韓帝国は、1910年から1945年まで日本帝国による植民地時代を経験した。この時期を韓国では、「日帝強占期」「日帝時期」と呼んでいる。

▼ 光復(1945年)

1945年、日本帝国が第2次世界大戦で敗戦したことで、朝鮮は日本帝国から国を取り戻した。

▼ 大韓民国政府樹立(1948年)
　　朝鮮民主主義人民共和国政府樹立(1948年)

光復と同時に朝鮮半島は、南と北に分けられてしまう。朝鮮人は南北統一のために努力したが、結局1948年8月に、南側では民主主義 (資本主義)の大韓民国政府が、北側では社会主義 (共産主義)の朝鮮民主主義人民共和国政府が樹立される。また、1950年から1953年まで、南北は朝鮮戦争を経験し、その後「停戦協定」(정전협정)が調印されたものの、平和条約の締結には至らず「休戦」(휴전)状態になる。そして、朝鮮半島の韓国と北朝鮮は、統一を成し遂げられないまま、現在に至っている。

調査する・考える・発表する

- ✓ 韓国観光公社　한국관광공사
- ✓ 韓国を知ったきっかけ
- ✓ 日韓の「公休日」(祝祭日)
- ✓ 「植民地朝鮮時代」と「日帝強占期」
- ✓ 「韓国戦争」「朝鮮戦争」「6・25」

講義ノート 1 （提出用）

学籍番号：_____　氏名：_____

講義テーマ：_____

学習目標：_____

_____

_____

_____

_____

_____

_____

_____

_____

_____

_____

_____

_____

_____

_____

_____

講義ノート 2

課題シート（提出用）

学籍番号： ———————————————— 　氏名： ————————————————————

課題テーマ： ————————————————————————————————————

———————————————————————————————————————

———————————————————————————————————————

———————————————————————————————————————

———————————————————————————————————————

———————————————————————————————————————

———————————————————————————————————————

———————————————————————————————————————

———————————————————————————————————————

———————————————————————————————————————

———————————————————————————————————————

———————————————————————————————————————

質問事項

———————————————————————————————————————

———————————————————————————————————————

———————————————————————————————————————

韓国の文字 한국의 문자

学習目標

◆ 訓民正音が誕生した背景について理解できる。

◆ ハングルの特徴について説明できる。

◆ 簡単な韓国語のあいさつができる。

||| 訓民正音

　韓国の固有文字であるハングルは、朝鮮王朝時代・4代目国王の世宗（1397〜1450、在位：1418〜1450）が1443年12月に創った。当初は「訓民正音」（훈민정음, 民を教える正しい音)という名称だったハングルは、子音(자음)14個と母音(모음)10個で言語を表記する点において科学的な文字と評価されている。子音は人の発音器官(발음기관)の形をもとに作られ、母音は天（・）、土（—）、人（ㅣ）から作ったものであった。

　世宗は、1446年9月初旬、ついに訓民正音の解説書を刊行した。この本の題名は、文字の名前をそのまま使った『訓民正音』であった。文字と本の名前が同様であるため、混同するのを避け、本を指す場合は『訓民正音解例本』（『훈민정음해례본』）と呼んだ。これは訓民正音の壮大な意義を解説した部分が「解例」だからである。初版本(초판본)は、長年見つかっていなかったが、1940年慶尚北道安東（경상북도 안동）で発見された。この初版本を全鎣弼（전형필, ジョン・ヒョンピル）が買い取り、現在は澗松美術館（간송미술관）に保管されている。

　さらに世宗は、『訓民正音解例本』を木版本で刊行した。何冊を印刷したかは記録に残っていないが、同じ木版本である『龍飛御天歌』（『용비어천가』)は550冊印刷されており、また木版本は活字本に比べて印刷が容易なため、かなりの数を印刷した可能性があるという。また、世宗は訓民正音を下級官吏採用試験に導入したため、『訓民正音解例本』を大量に印刷したのではとも推測されている。『訓民正音解例本』は、世宗と臣下(신하)ら9名の共著で、世宗が書いた「正音本文」（정음 본문）は「序文」（서문）と「例義」（예의）に、臣下たちが書いた「正音解例」（정음 해례）は「解例」（해례）と「鄭麟趾序」（정인지 서문）に分けられる。全体を見ると、最初に序文、最後に後序、本論に新しい文字の例示と説明がある。世宗の序文を詳細に解説したものが鄭麟趾（ジョン・インジ）の後序であり、世宗が書いた簡略な28文字の例を詳しく解説したものが解例部分である。世宗が書いた例義は大きく2つの部分からなる。まず新しい文字28字の例と分類、その次に文字の書き方、初声と終声の表記法、音節を構成する方法、音の高低の表記法などに分けられている。以下、簡単に説明する。

《 展示館・世宗物語 》

《 訓民正音解例本 》

▼ 正音本文の序文：創製動機と趣旨

わが国の言葉は、中国とは異なっていて漢字とは相通じないので、庶民は言いたいことがあっても、それを言い表せない者が多い。私はこれを憐れに思い、新たに28字を作り、全ての人が容易に学べ、日々便利に使えるようにさせたい一心であった。

【出典】ハングル学会編『訓民正音』海誠社、1998年

▼ 例義

新しい文字28字の例と分類、その次に文字の書き方、初声と終声の表記法、音節を構成する方法、音の高低の表記法

▼ 解例

解例は、世宗の命令に従って学者たちが書いた例義についての注釈である。これは字母の制作原理を説明した「制字解」(제자해)、音節頭子音を表記する17字を説明した「初声解」(초성해)、母音11字を説明した「中声解」(중성해)、音節末子音を説明する「終声解」(종성해)、初声・中声・終声が結合して音節を表記する方法を説明した「合字解」(합자해)、ハングルによって単語を表記した例を載せた「用字例」(용자례)の6つに分かれている。

▼ 鄭麟趾序

鄭麟趾が書いた序文。ここで執筆に携わった人物の名前が載せられており、鄭麟趾・崔恒(최항, チェ・ハン)・朴彭年(박팽년, パク・ペンニョン)・申叔舟(신숙주, シン・スクジュ)・成三問(성삼문, ソン・サンムン)・姜希顔(강희안, カン・ヒア

ン)・李塏(이개，イ・ゲ)・李善老(이선로,イ・ソンロ)の9名の集賢殿（집현전）学者が参加していたことがわかる。

　　　　　　※集賢殿：高麗時代から朝鮮時代初期にかけて存在した研究機関。

　なお『訓民正音解例本』は、文字を創った目的と由来、使用法、そして創製の世界観を記録した「科学的でありながら、緻密で多層的な構造を持つ」ものとして、1962年12月に国宝の第70号に指定され、1997年10月にはユネスコ世界記録遺産に登録された。

● 『訓民正音解例本』の構造

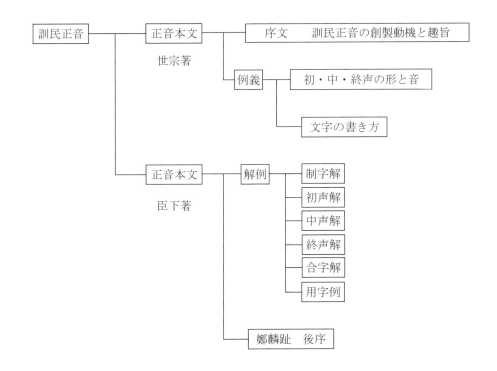

||| ハングルの日

　ハングルの日(한글날)が制定されたのは、1926年である。朝鮮語研究会(조선어연

구회)という団体を中心にハングルの日を制定しようとする努力が実った。1926年11月4日（旧暦9月29日）に世宗の訓民正音頒布480周年を記念した式典を開催し、この日を第1回「カギャの日」(가갸날)と決めたことが始まりだ。この時、旧暦の9月29日を記念日としたのは、『世宗莊憲大王實錄』（『세종장헌대왕실록』）の記録に基づいている。実録には1446年（世宗28）旧暦9月に訓民正音が頒布されたと記録されていたため、当時の旧暦9月の最終日であった29日を「訓民正音が頒布された日」と考え、この日を「カギャの日」としたのである。その後、1928年に名称だけをハングルの日と変えたが、1931年には旧暦の9月29日から10月29日に変更し、さらに1934年には再び10月28日に変更した（補足：1931年から1933年までは、旧暦を「時憲暦」に換算した日付である10月29日に、1934年から1945年までは、「時憲暦」ではなく「グレゴリオ暦」に換算した日付である10月28日に記念式を行った）。また、1940年安東で発見された『訓民正音解例本』の鄭麟趾の序文によると、頒布日は9月上旬と書かれていた。これに従い、上旬の最終日である9月10日を西暦に換算した10月9日をハングルの日と決め、現在に至る。一方、北朝鮮はハングルの日を1月15日としている。これは韓国では、訓民正音を正式に広く知らせた1446年の記録を基準にし、北朝鮮は訓民正音が文字として初めて作られた1443年の記録を基準にしたためだ。世宗がハングルを作ったのは1443年旧暦12月であり、正式に広く頒布したのは1446年旧暦9月である。南北が統一されれば協議のうえ、ハングルの日も同じ日になるだろう。

※「カギャの日」：「カギャコギョ」(가갸거겨)で始まる覚え歌に基づき、ハングル初期の口語呼称であった「カギャグル」(가갸글)を起源としている。

 さらに調べる

『朝鮮王朝實錄』の『世宗實錄』(1443年12月30日付)

この月、王が諺文（언문，訓民正音の別名）28字を自ら作成した。／その文字の形は、昔の文字である「古篆」（고전，漢字の古い字体）と似た過程を経て作られており、初声（音節頭子音）、中声（音節の核となる母音）、終声（音節末子音）に分かれているのだが、それらが組み合わさってはじめて文字となり、漢字や我が国の言葉と関連したも

のを全て書き表すことができる。／ 文字は簡単ではあるが、自在に組み合わせて書くことができる。／ これを「訓民正音」という。

国立ハングル博物館

国立ハングル博物館(국립한글박물관)は、ソウル市龍山区にある。国立中央博物館の近くにあって、無料である。国立ハングル博物館の各展示室では、ハングルが作られた原理と様々なハングルの書体を見ることができる。また外国人のための体験学習空間である「ハングル学習場」があり、体験しながらハングルを容易に理解できる。

※国立ハングル博物館　https://www.hangeul.go.kr/main.do

ドラマ『根の深い木』

『根の深い木』（『뿌리깊은 나무』2011年）は、朝鮮時代の世宗のハングル創製、それに対抗する秘密組織「密本」(밀본)の物語を描いた歴史ドラマである。実際の歴史にフィクションの要素が加わり、想像の幅を広げたこのドラマは、訓民正音頒布前の7日間に景福宮で繰り広げられた集賢殿学士の連続殺人事件の全貌を解き明かす過程が描かれている。ドラマのタイトルである『根の深い木』は、訓民正音で書かれた最初の作品「龍飛御天歌」(용비어천가)第2章の最初にある「불휘 기픈 남고」から引用したものである。

調査する・考える・発表する

✓ 承政院　승정원

✓『朝鮮王朝實錄』　조선왕조실록

✓ 朝鮮語学会　조선어학회

✓ 周時経　주시경

✓ 映画『マルモイ』『말모이』2019年

✓ 尹東柱　윤동주

講義ノート 1 （提出用）

学籍番号： ＿＿＿＿＿＿＿＿＿＿＿　氏名： ＿＿＿＿＿＿＿＿＿＿＿

講義テーマ： ＿＿＿＿＿＿＿＿＿＿＿＿＿＿＿＿＿＿＿＿

学習目標： ＿＿＿＿＿＿＿＿＿＿＿＿＿＿＿＿＿＿＿＿＿

＿＿＿＿＿＿＿＿＿＿＿＿＿＿＿＿＿＿＿＿＿＿＿＿＿＿

＿＿＿＿＿＿＿＿＿＿＿＿＿＿＿＿＿＿＿＿＿＿＿＿＿＿

＿＿＿＿＿＿＿＿＿＿＿＿＿＿＿＿＿＿＿＿＿＿＿＿＿＿

＿＿＿＿＿＿＿＿＿＿＿＿＿＿＿＿＿＿＿＿＿＿＿＿＿＿

＿＿＿＿＿＿＿＿＿＿＿＿＿＿＿＿＿＿＿＿＿＿＿＿＿＿

＿＿＿＿＿＿＿＿＿＿＿＿＿＿＿＿＿＿＿＿＿＿＿＿＿＿

＿＿＿＿＿＿＿＿＿＿＿＿＿＿＿＿＿＿＿＿＿＿＿＿＿＿

＿＿＿＿＿＿＿＿＿＿＿＿＿＿＿＿＿＿＿＿＿＿＿＿＿＿

＿＿＿＿＿＿＿＿＿＿＿＿＿＿＿＿＿＿＿＿＿＿＿＿＿＿

＿＿＿＿＿＿＿＿＿＿＿＿＿＿＿＿＿＿＿＿＿＿＿＿＿＿

＿＿＿＿＿＿＿＿＿＿＿＿＿＿＿＿＿＿＿＿＿＿＿＿＿＿

＿＿＿＿＿＿＿＿＿＿＿＿＿＿＿＿＿＿＿＿＿＿＿＿＿＿

＿＿＿＿＿＿＿＿＿＿＿＿＿＿＿＿＿＿＿＿＿＿＿＿＿＿

講義ノート 2

課題シート（提出用）

学籍番号： _____　　氏名：　_____

課題テーマ：_____

_____

_____

_____

_____

_____

_____

_____

_____

_____

_____

_____

_____

質問事項

_____

_____

_____

韓国の衣食住 한국의 의식주

学習目標

◆ 韓国の衣食住文化について理解できる。

◆ 韓服と着物の特徴について説明できる。

◆ 韓国と日本における住文化の特徴について説明できる。

||| 韓国の衣食住

　韓国では、「身土不二」(신토불이)という言葉がある。昔は韓国の地理的環境に合う「わが韓国のもの」(우리 한국의 것)を大切に考えた。しかし近代化の過程において便利さと効率性が追求されると、現在の韓国人の生活スタイルは、西欧化していった。西洋式の衣食住を意味する洋服 (양복)、洋食 (양식)、洋屋 (양옥)という言葉からもわかるように、朝鮮時代末期から受け入れ始めた西洋式文物が韓国人の日常の中に浸透していった。ところが最近、伝統的な「我々のもの」(우리의 것) を再び取り戻そうという機運が高まり、伝統的な衣食住に込められた先人たちの「モッ」(멋)と知恵を再評価するようになった。昔の暮らしから気楽さと余裕を再発見した韓国人は、現代的な感覚で伝統的なスタイルを生活の中に蘇らせている。

　　　　※「モッ」(멋)：韓国人が「美的なこと (もの)」を表現する時、「美しさ」(아름다움)や「綺麗さ」(고움)とともに使用する美学・文学用語。

||| 韓国の衣文化

　現代の韓国人の服装は、非常に多様である。礼儀を尽くした正装であるスーツや活動性が優れている普段着のジーンズ、そして優雅な韓服からミニスカートやタンクトップなど個性的である。伝統的な服装として韓国人は「韓服」(한복)を着ていた。季節や儀礼に合わせ、素材や色などが異なり、またゆったりしているため昔の座敷生活に最適な衣装であった。しかし、朝鮮時代末期になると着やすく活動しやすい洋服を着るようになり、韓服は日常生活から次第に消えていった。

||| 韓服

　韓服 (한복) は、韓国の伝統服である。韓国では昔から調和を重視しており、韓服の模様は「直線」と「曲線」が調和している。またゆったり着ることができる。伝統的な韓服にはポケットがない。また服にファスナーやボタンもないので、コルム (고름)、テニム (대님)、ホリティ(허리띠)を結ぶなどして着る。韓服は文化と状

況、そして美に対する基準などによって少し形（模様）が変わったものの、基本的な形は維持されている。

- ◆ 三国時代：三国時代の韓服は、長いチョゴリ(저고리)、そしてホリティがあった。
- ◆ 高麗時代：高麗時代末期には、コルムができるようになった。
- ◆ 朝鮮時代：朝鮮中期から女性のチョゴリの長さが短くなった。

　現在の韓服の形は、朝鮮時代の中期に作られたとされている。韓服は、基本的に女性は「チマ」(치마)とチョゴリを、男性は「パジ」（바지）とチョゴリを着る。チョゴリの上には、女性は「ペジャ」（배자）、男性は「チョキ」（조끼)を着て、外出時は、女性は「マゴジャ」（마고자）、男性は「トゥルマギ」(두루마기)を纏う。また、韓服はソルラルや秋夕のような名節や「トルジャンチ」(돌잔치)、結婚式など、特別で重要な日に着る服となった。一方、韓服の伝統的なデザインに基づきながら、活動性と実用性を高めた生活韓服も人気を集めている。

||| 韓服の色

　昔から朝鮮半島の人々は、白い韓服を好んで着たという。そのため「白の民族」（백의 민족，白い服の民族）と呼ばれた。白色は、純粋さと綺麗さを象徴する。様々な色がある韓服を「セクドンチョゴリ」(색동 저고리)という。チョゴリの袖を様々な色で一段ずつ繋いで作ったもので、名節に子どもたちがよく着る。また、結婚して間もない女性たちは、赤いチマに薄緑色のチョゴリを着ていた。

||| 季節による韓服

　韓国は四季があり、季節ごとに気候と天気が異なる。そのため、韓服もそれに合わせたものを着ていた。暑い夏には、麻を利用して作った。麻は植物を利用した天

然素材の布で、風通しが良く、夏の服には最適なものであった。寒い冬には、寒さ対策として、風を通しにくい木綿 (무명)で韓服を作っていた。綿は、麻より糸の繊維が細く丈夫であるため、寒さを防ぐのに最適だった。また冬には、暖かい布を重ねてその間に綿を入れた「ヌビオッ」(누비옷)を作って着ていた。

||| 「ジャンシング」(장신구, 飾り物)

- ◆ ボクジュモニ (복주머니) : 腰に付けたり、手に持っていたりした袋。
- ◆ ビニョ (비녀) : 女性の頭に刺す髪飾り、簪。
- ◆ ゾクドゥリ (족두리) : 伝統的な結婚式で新婦が頭に付ける飾り。
- ◆ ノリゲ (노리개) : 韓服のチョゴリやチマに付ける飾り。
- ◆ コッシン (꽃신) : 色んな色で作られる伝統的な靴。

||| 韓国の食文化

　韓国の街には、ハンバーガーやピザ、パスタやステーキのような洋食レストランが多くなったが、一般家庭の食卓には、日常的に「韓食」(한식)が並ぶ。韓食は、基本的にご飯、汁、おかずの構成で、ご飯と汁はスプーンで、おかずは箸で食べる。主食はお米のご飯だが、ご飯のほかに汁物とおかずを一緒に食べる。「クック」(국)は、肉や海鮮、野菜などの材料を煮た汁物。その他に「タン」(탕)、「チゲ」(찌개)、「チョンゴル」(전골)などを食べたり、汁物にご飯を入れて食べたりする「クッパ」(국밥)も料理の一つとして定着した。また韓国料理には、ビビンバ(비빔밥)、参鶏湯 (삼계탕)、プルコギ (불고기)、サムギョプサル (삼겹살)、トックなどもあるが、最近は韓国料理がテレビ番組やインターネットなどを通して海外に広く紹介され、K-Foodとして人気を集めている。こうしたことから、韓国料理を世界へ普及させようとする「韓食の世界化」も政府により進められている。

||| キムチ

　キムチ（김치）は、韓国の代表的なおかずである。白菜、大根、キュウリなどの野菜を塩に漬けた後、唐辛子、ネギ、ニンニクなどの様々な「ヤンニョム」(양념)を入れて発酵させた食べ物だ。しかし、昔のキムチは今とは異なり、唐辛子を入れず、ただ塩で漬けた野菜にニンニクなどを入れて作ったものであった。現在のようなキムチの作り方は、約300年前にできあがったものだという。キムチは地域によって入れる材料と作り方が異なり、味も様々である。冬になる前の11月末〜12月初めに大量のキムチを漬ける「キムジャン」(김장)の風習は、今でも続けられている。

||| ビビンバ

　ビビンバ(비빔밥)は「ビビダ」(비비다)と「バプ」(밥)が合わさった単語で、韓国の代表的な食べ物の一つだ。ビビンバは、ご飯の上に、肉や様々な野菜、卵などを乗せて、コチュジャン（고추장）と一緒に混ぜて食べる。ビビンバの由来については、以下の3つの説がある。

◆　韓国の法事（제사，祭祀，チェサ）からビビンバが始まったという説。
　　ご飯、肉、魚、野菜などを供えて法事を執り行った後、これをご飯と一緒に混ぜて食べたことからビビンバができたという。
◆　旧暦12月31日に食べ物を残さずに新年を迎えるため、夜に余ったご飯とおかずをすべて入れて、混ぜて食べた風習からビビンバができたという説。
◆　農作業の合間に、食べ物を混ぜて、それを分け合って食べたことからビビンバができたという説。

　また、材料と地域によって様々なビビンバがある。(山菜ビビンバ、ユッケビビンバ、モヤシビビンバ、石焼ビビンバ)特に、全州 (전주)ビビンバや晋州(진주)ビビンバが有名である。さらにビビンバは、味だけでなく、盛り方や色を重視する食べ物である。韓国では伝統的に基本となる5つの色の調和を大切だと考えた。そのため、ビビンバの食材は5色に分けられる。

- ◆ 緑：미나리 (セリ)、애호박 (ズッキーニ)、오이 (キュウリ)
- ◆ 赤：육회 (ユッケ)、당근 (人参)、고추장
- ◆ 黄：달걀 (卵)、황포묵 (黄布ムック)、잣 (松の実)
- ◆ 白：무 (大根)、도라지 (キキョウ)、콩나물 (モヤシ)
- ◆ 黒：고사리 (ワラビ)、다시마 (昆布)、표고버섯 (椎茸)

こうした様々な材料を混ぜて、分け合って食べていたところから始まったビビンバは、多くの食材が調和の取れた一つの新しい味を作り出すという点に特徴がある。

⫼ トク

韓国では普段スイーツとしてトク（떡，お餅）を食べることもあるが、特別な日に特別な餅を食べることもある。

▼ ソルラル：トックク

お正月には、新年をスタートする意味でトッククを食べる。トッククに入れるお餅は、白い「カレトク」(가래떡)で、新年を迎え新しくなるという意味がある。長い形のカレトクは、財産が長く（高く）伸びていくという意味が込められており、カレトクを丸くする理由は、昔の丸いお金の模様と同じだからである。

▼ 秋夕：「ソンピョン」

秋夕には、ソンピョン（송편）を食べる。ソンピョンには、穀物や果物の収穫に感謝する気持ちが込められている。お餅の中に、ゴマ、豆、小豆などを入れて、半月の形に作る。

▼「百日」「トル」:「ペクソルギ」「ススパットク」

子どもが生まれて、百日（백일）および1年（돌，トル）になった日には、元気に過ごしていることを祝い、これからも何事もなく健康に育っていってほしいという願いを込めて、お餅を作って食べる。ペクソルギ（백설기，白雪糕）、ススパットク（수수팥떡，黍小豆餅）を用意して、多くの隣人と分け合って食べると、子どもが病気をすることなく、健康で長生きして「福」をたくさん受け取ると言われている。ペクソルギには、子どもが素直に育つことを願い、ススパットクには、悪いことを防いでくれるという意味がある。ススパットクの材料である赤色の小豆が、邪気を追い払ってくれると信じられているからだ。また、成人になってからも、誕生日の時に「お餅ケーキ」(떡케익)を注文して食べることも多い。

▼ 引越餅:「イサトク」

引越し（이사）をしたり、新しい事業を始めたりする時、邪気を追い払う赤い小豆を混ぜたお餅を作って、隣人と分け合って食べる風習がある。

▼ 法事餅:「祭祀トク」

韓国の法事（제사，祭祀）には、お餅を供える。法事に使用する祭祀トクには、鬼を追い払う赤い小豆が使えないため、「ノクドゥ」(녹두，緑豆)、ゴマなどを入れた餅を作る。

▼ 合格餅：「合格トク」

お餅がべたべたとくっつくところから、「合格する」という意味もある「ブッタ」(붙다，くっつく)の意味を込めて、受験生に合格（합격，ハップギョック）を願ってプレゼントするお餅。

▼ スイーツでよく食べるお餅

「インジョルミ」(인절미，きなこ餅)、「クルトク」(꿀떡，蜂蜜餅)、「チャプサルトク」(찹쌀떡，もち米餅)、「トッポギ」(떡볶이)、「ホットク」(호떡)など。

韓国の住文化

　都市化が進み、韓国人の住居形態は昔と大きく変わった。1970年代に普及し始めたアパート（아파트，マンション）の数が大きく増加し、それに伴い西欧型の住居形態に対する好感度もアップした。そのため、2010年代に入りマンションは、全体の住宅数の60%を占め、「韓屋」(한옥)は民俗村や地方の村でしか見ることができなくなった。

韓屋

　韓国の伝統的な生活様式が反映されている家のことを韓屋 (한옥)という。韓屋は、屋根の材料によって、「キワジップ」(기와집，瓦屋根家)と「チョガジップ」(초가집，藁葺き)に分けられる。キワジップは、土で作って焼いた瓦を屋根に載せた家で、かつては地位が高い人 (양반，両班)が住んでいた。それに比べて、チョガジップは、屋根に藁やススキのような草を載せた家で、主に庶民が住んだ。韓屋内

部には、「オンドル」(온돌，温突)と「テチョンマル」(대청마루，居間)がある。オンドルは、台所の「アグンイ」(아궁이)で火を焚いて、その熱気が部屋の下を通ることで部屋を暖める暖房装置である (現代の床暖房のようなシステム)。テチョンマルは、部屋と部屋の間にあるリビングのことだ。両側から風がよく通り涼しい空間で、家に入る前に靴を置くところがある。冬はオンドルで暖めた部屋で生活し、夏は涼しくて風通しのいいテチョンマルで暑さを避けた。

　現代の人々はマンション、「ビラ」(빌라)、住宅 (주택)、アパート (아파트)、「オフィステル」(오피스텔)などに住むようになり、伝統家屋は見られなくなったが、韓屋は、ソウルの北村韓屋村 (북촌 한옥마을)、ソウルの南山韓屋村(남산 한옥마을)、全州の韓屋村 (전주 한옥마을)などに行くと見ることができる。

┃┃┃ オンドル

　韓国の冬はとても寒く乾燥している。そのため、韓国の人々は、冬を暖かく過ごすためにオンドルを作って使用してきた。オンドルは、釜戸で焚いた火が部屋の下に敷いた「クドゥルジャン」(구들장，板石)を温めて、部屋全体を暖める暖房方式である。

- ◆ アグンイ (아궁이)：部屋の外 (片隅) に釜戸を作り、薪を入れて火を焚く。
- ◆ クドゥルジャン：部屋の下に敷いた薄くて広い石。アグンイで暖められた空気が、部屋の下を通ることでクドゥルジャンを温める。温められたクドゥルジャンが部屋の床面を温め、暖まった空気が部屋全体に広がる。クドゥルジャンを温め終わった煙は、煙突から排出される。

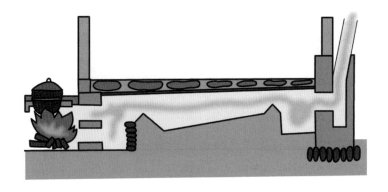

《 オンドル 》

⫶ オンドルの歴史

　朝鮮半島でのオンドル暖房は、2000年以上の歴史がある。B.C.3世紀頃とされるオンドルの遺跡が、朝鮮半島の全域で発見されている。また、三国時代の遺跡地でもクドゥルジャンが発見された。高麗時代からは、オンドルが次第に庶民の家でも使用されるようになり、朝鮮時代にはより多くの家でオンドル暖房を使うようになった。中国の『旧唐書』にも、三国時代・高句麗の家にあるクドゥルジャンに関する記録があり、また高句麗の壁画にもアグンイで火を焚き、ご飯を炊いている女性の絵が見られる。こうした韓国固有の暖房として認められたオンドルは、2018年に大韓民国の国家無形文化財第135号として指定された。

　現在は伝統的なオンドルはほぼなくなったが、オンドルと同様に床を温める暖房方式は現在でも使用されている。今は、アグンイの代わりにボイラーを利用して水を温め、そのお湯が床下に敷いてあるパイプを通り、床を温める。現代人は、ほとんどベッドを使用するが、長年オンドル文化に親しみ慣れた韓国人は、やはり暖かい床を好む。そのため、ベッドの上に電気マットや温水マットを敷いて、背中が触れるところを温めて寝る人が多い。また年長者では、ベッドを使用せず、オンドル部屋に敷布団を敷いて寝たりする。韓国では、健康にいい材料で作った「土ベッド」(흙침대)、「石ベッド」(돌침대)というベッドもあるが、これは柔らかいマットレスではなく、オンドル部屋の床のように硬くて暖かいのが特徴である。

さらに、床暖房に馴染みがある韓国人は、暖かい床に横になって休むことも好む
ため、暖かい部屋でリラックスできる「チムジルバン」(찜질방)は、多くの韓国人
に愛されている場所である。

 さらに調べる

キムジャン

韓国は、冬が近づくと家族や隣人が集まり、一年分のキムチを漬けていた。これをキ
ムジャン（김장）という。キムジャンは韓国の伝統行事のひとつで、家族や隣人が集ま
り、一緒に漬けたキムチを分け合う韓国の「ウリ」(우리)文化といってよい。キムジャ
ンは2013年にユネスコ人類無形文化遺産として指定された。

キムチ冷蔵庫

キムジャンをすれば、キムチを長く貯蔵できる場所が必要となる。昔は、家ごとに「マダ
ン」(마당)の土を掘ってキムチ壺を埋めて保存していた。しかし、最近はマンションで生活
する人が多いため、韓国ではキムチ冷蔵庫（김치 냉장고）という特別な家電がある。また現
代では、家でキムジャンをしなくても、様々なマーケットで容易にキムチが購入できる。

《 キムチ冷蔵庫 》

韓国の「モクバン」

モクバン（먹방）は、食べるの「モクダ」(먹다)と放送の「バンソン」(방송)が合わさった造語である。モクバンは、料理を食べる姿を見せる番組プログラムであるが、英語辞典でも韓国語の発音そのままの「MUKBANG」となっている。モクバンをする人は、食べるだけでなく、番組を見ている視聴者とチャットなどを通して対話をしながら食べる。まるで、同じ食卓を囲んでいるような感じだが、このように「一緒にご飯を食べる」ことが重要な韓国人の文化が、モクバンにも見られるかもしれない。

調査する・考える・発表する

- ✓ 「REGEN JEJU」
- ✓ キムチ冷蔵庫
- ✓ 韓国の食事マナー
- ✓ 「ジョンセ」 전세
- ✓ 『猫たちのアパートメント』『고양이들의 아파트』2022年

講義ノート 1 （提出用）

学籍番号： _____　　氏名： _____

講義テーマ： _____

学習目標： _____

_____

_____

_____

_____

_____

_____

_____

_____

_____

_____

_____

_____

_____

講義ノート 2

課題シート（提出用）

学籍番号： ＿＿＿＿＿＿＿＿＿＿＿＿＿＿＿ 氏名： ＿＿＿＿＿＿＿＿＿＿＿＿＿＿＿＿＿＿

課題テーマ： ＿＿＿＿＿＿＿＿＿＿＿＿＿＿＿＿＿＿＿＿＿＿＿＿＿＿＿＿＿＿＿＿＿＿＿

＿＿

＿＿

＿＿

＿＿

＿＿

＿＿

＿＿

＿＿

＿＿

＿＿

＿＿

質問事項

＿＿

＿＿

＿＿

韓国の冠婚葬祭 한국의 관혼상제

学習目標

- ◆ 韓国の冠婚葬祭の歴史について理解できる。
- ◆ 韓国と日本における成人式の相違点について説明できる。
- ◆ 韓国と日本における結婚式の特徴について比較できる。

||| 伝統儀礼

　人が生まれて生きていく中で、誕生(탄생)、結婚(결혼)、死(죽음)など多くのことを経験する。韓国では周りの人に起きるこうした出来事を共に祝ったり悲しんだりすることが礼儀とされ、重要と考える。

　「誕生」と「生きる」ことと関係のある儀礼は、百日、トル、「還暦」(환갑)などがある。百日は、赤ちゃんが生まれてから100日になる日を祝うことである。百日にはペクソルギという白いお餅を用意するが、これは100歳までの長寿を祈願する意味を持つ。トルは赤ちゃんが生まれてから1年になる初めての誕生日を意味する。トルジャンチでは、赤ちゃんの前にいくつかのものを並べておいて、その中の一つを掴ませて、将来の職業を予想する「トルジャビ」(돌잡이)という儀式を行う。満60歳の還暦と数え70歳の「古希」(고희)も、寿命が短かった時代には健康で長生きすることを祝い、家族と親戚が集まり大々的に「ジャンチ」(잔치)を行っていたが、最近では平均寿命も延びたこともあり、簡単なパーティーや家族旅行をしたり、プレゼントなどを贈っている。

《 結婚式 》

||| 冠婚葬祭

　朝鮮時代には儒教の影響で、国の行事だけでなく、家の行事も儒教で定めた儀礼にしたがって行われた。特に人々が生きていく中で経験する冠礼、婚礼、葬礼、祭礼をもっとも重視していた。

▼ 冠礼

成人になる儀式で現在の成人式に該当する。結婚をするためには、まず冠礼儀式を行わなければならなかった。男女ともに、15歳から20歳の成年期になるまでに長く伸ばし垂らしていた髪を結びあげ、男子は「草笠」(초립)という冠をかぶり、女子は簪を刺した。これはこれから成人になったことで、社会の一員としての責任と義務を持つという社会的な意味も含まれている。現在では、毎年5月の第3週目の月曜日を「成年の日」(성년의 날)とし、満20歳になる若者のために様々なイベントが行われる。かつてとは異なり特別な儀式は行われないが、バラの花や香水をプレゼントするなどして成人を祝う。

▼ 婚礼

男女が夫婦となる儀式で現在の結婚式である。伝統的な婚礼では、新郎新婦は韓服を着て、新婦の頬には「ヨンジゴンジ」(연지곤지)という赤い点を付けたり、赤く丸い紙を貼ったりして、厄運を防ぐようにした。昔の婚礼は、雁の飾りが置かれたテーブルの前で、向きあってお辞儀をし、お酒を分けあって飲みながら結婚の約束をした。現在は、ウェディングホール (웨딩홀) と呼ばれる結婚式専用の式場で挙げることが多い。その他に、教会や聖堂、寺などの宗教施設、ホテルなどでも挙げられる。ウェディングホールは、結婚式だけでなく、来客の食事、披露宴、「ペベク」(폐백, 幣帛。ペベクについては「さらに調べる」を参照)まで一か所でできるため、多くの人が利用する。伝統的な婚礼を好む人は、民俗村や南山韓屋村などで挙げることもできる。

▼ 葬礼

人が死んだ時に行う儀式で四礼の中でもっとも厳粛な儀礼とされていた。朝鮮時代では、死から墓地に埋葬するまでの葬礼期間が長い場合は1か月〜3か月で、一般庶民たちも3日葬、5日葬、7日葬としていた。かつては、遺族が麻の服を着て、弔問客に挨拶をしながら食事をもてなしたりしたが、現在は簡素化され、家ではなく「葬礼式場」(斎場)で行い、3日間、弔問客を迎える。現代の葬式は、菊の花を供え、遺族は黒色のスーツか韓服を着る。喪主は、麻で作った腕章を左腕に付ける。また男性は胸に、女性は頭に、白いリボンを付ける。葬式に参列する時は、黒い服を着るのが礼儀だ。しかし、黒い服を着るのに間に合わなかった場合には、派手ではない暗い系統の服装でも良い。また香典 (부의금, 賻儀金)を準備する。斎場に行くと表に「賻儀」と書いてある封筒が用意されているので、その裏に香典を出す側の氏名を書く。

▼ 祭礼

先祖のためにする儀式である。伝統的に「孝」思想をもっとも大切にしていた韓国人は、両親が亡くなった後も親孝行をすべきだと考えた。故人の命日と名節 (설날, 추석) には、「祭床」(제상)の上に先祖の位牌をおき、その季節のご馳走を供えて、親戚とともに故人の冥福を祈る。これらをそれぞれ祭祀と「茶礼」(차례)という。祭礼は、孝思想と共に家族を重要と考える韓国の文化とも深い関連があると言える。祭祀には、以下のような規則がある。

・桃は、鬼を追い払う果物とされているため、祭祀には供えない。
・小豆、唐辛子、ニンニクも鬼を追い払う食材とされているため、祭祀料理には使わない。
・祭祀を挙げた後、祭祀料理を親族と一緒に分けて食べる。これを「飲福」(음복)という。
・「紅東白西」(홍동백서) : 赤い食べ物は東側に、白い食べ物は西側に置く。
・「魚東肉西」(어동육서) : 魚は東側に、肉は西側に置く。

・「棗栗梨柿」(조율이시)：左側から、ナツメ、栗、梨、柿の順で置く。
　　　　＊上記のほかにも、供え物を置く方向・順番に関する決まりがある。
・地域によって異なるが、1列目はご飯と汁物を、2列目は「ジョン」(전)類を、3
　列目はタン類を、4列目はナムル（나물）類を、5列目は果物類を供える。

《 祭祀床 》

さらに調べる

ソルラル

韓国のソルラル（설날）は、旧暦の1月1日で新しい年が始まる日とされている。ソルラルの朝には、「セヘ　ボク　マニ　バドゥセヨ」（새해 복 많이 받으세요）という新年の挨拶をしながら、祖父母や両親など目上の人にお辞儀（세배, セベ）をする。セベをもらった人は、「徳談」（덕담）をしながら、子どもにはお年玉（세뱃돈, セベッドン）をあげる。成人になった子どもは、逆に両親にお小遣いをあげたりもする。ソルラルには、トックを食べるが、トックを一膳食べると年も（一歳）取ると言われている。

秋夕

韓国の秋夕（추석）は旧暦の8月15日で、昔はその年の農業の結果に対して先祖に感謝の気持ちを告げる日であった。秋夕もソルラルと同様、家族が集まり、先祖に対する茶礼を行ったり、お墓参りをしたりする。秋夕には、ソンピョンというお餅を食べるが、「ソンピョンをきれいに作ると可愛い子どもを産む」という言い伝えがある。また秋夕の夜には、満月を見ながら願い事をする。

ご祝儀

韓国では親戚や友達が結婚する時にご祝儀（축의금）をあげる。白い封筒の表に「ご結婚、おめでとうございます」（결혼을 축하합니다）、「祝　結婚」（축 결혼）と書き、裏面には自分の名前を書く。ご祝儀は、新郎新婦との関係により金額を決めるが、5万ウォン、7万ウォン、10万ウォンが一般的だ。とても関係が近い場合は、10万ウォン以上を送る場合もあるし、ご祝儀のほかに家電などのプレゼントを贈ることもある。

ペベク

現在の結婚式にも伝統婚礼の儀式が残っている。その代表的なものがペベク（폐백）だ。ペベクは、元々新婦が結婚後に新郎の両親に初めて挨拶（お辞儀をして、贈り物を差し上げる）をすることである。最近は、結婚式の後に、式場にあるペベク室という別室で、両家の両親と近い親族に挨拶をするように変わった。

「ハム」

結婚式の数日前にハムを贈る儀式も残っている。ハム（함）とは、新郎が新婦宅に贈る結納と結婚を約束する手紙が入っている箱のことだ。新郎の友人がハムを背負って、新婦宅を訪ねる。この時にほかの友人は「ハム、買ってください！」(함 사세요!)と大きい声を出しながら移動するが、最近は近所迷惑になるため、新郎一人がハムを持って新婦宅を訪問することが多いという。

調査する・考える・発表する

✓「トルジャビ」 돌잡이
✓「ジョルガップ」 절값
✓ 日韓の結婚式
✓「名節症候群」 명절증후군

講義ノート 1 （提出用）

学籍番号： _____ 氏名： _____

講義テーマ： _____

学習目標： _____

_____

_____

_____

_____

_____

_____

_____

_____

_____

_____

_____

_____

_____

_____

_____

講義ノート 2

課題シート（提出用）

学籍番号：＿＿＿＿＿＿＿＿＿＿＿＿＿＿　　氏名：＿＿＿＿＿＿＿＿＿＿＿＿＿＿＿＿

課題テーマ：＿＿＿＿＿＿＿＿＿＿＿＿＿＿＿＿＿＿＿＿＿＿＿＿＿＿＿＿＿＿＿＿＿

＿＿＿＿＿＿＿＿＿＿＿＿＿＿＿＿＿＿＿＿＿＿＿＿＿＿＿＿＿＿＿＿＿＿＿＿＿＿＿

＿＿＿＿＿＿＿＿＿＿＿＿＿＿＿＿＿＿＿＿＿＿＿＿＿＿＿＿＿＿＿＿＿＿＿＿＿＿＿

＿＿＿＿＿＿＿＿＿＿＿＿＿＿＿＿＿＿＿＿＿＿＿＿＿＿＿＿＿＿＿＿＿＿＿＿＿＿＿

＿＿＿＿＿＿＿＿＿＿＿＿＿＿＿＿＿＿＿＿＿＿＿＿＿＿＿＿＿＿＿＿＿＿＿＿＿＿＿

＿＿＿＿＿＿＿＿＿＿＿＿＿＿＿＿＿＿＿＿＿＿＿＿＿＿＿＿＿＿＿＿＿＿＿＿＿＿＿

＿＿＿＿＿＿＿＿＿＿＿＿＿＿＿＿＿＿＿＿＿＿＿＿＿＿＿＿＿＿＿＿＿＿＿＿＿＿＿

＿＿＿＿＿＿＿＿＿＿＿＿＿＿＿＿＿＿＿＿＿＿＿＿＿＿＿＿＿＿＿＿＿＿＿＿＿＿＿

＿＿＿＿＿＿＿＿＿＿＿＿＿＿＿＿＿＿＿＿＿＿＿＿＿＿＿＿＿＿＿＿＿＿＿＿＿＿＿

＿＿＿＿＿＿＿＿＿＿＿＿＿＿＿＿＿＿＿＿＿＿＿＿＿＿＿＿＿＿＿＿＿＿＿＿＿＿＿

質問事項

＿＿＿＿＿＿＿＿＿＿＿＿＿＿＿＿＿＿＿＿＿＿＿＿＿＿＿＿＿＿＿＿＿＿＿＿＿＿＿

＿＿＿＿＿＿＿＿＿＿＿＿＿＿＿＿＿＿＿＿＿＿＿＿＿＿＿＿＿＿＿＿＿＿＿＿＿＿＿

＿＿＿＿＿＿＿＿＿＿＿＿＿＿＿＿＿＿＿＿＿＿＿＿＿＿＿＿＿＿＿＿＿＿＿＿＿＿＿

韓国の文化遺産 한국의 문화유산

学習目標

◆ 韓国の文化遺産の歴史について理解できる。

◆ 朝鮮時代の5大王宮の特徴について説明できる。

◆ 韓国のユネスコ世界遺産について調査・発表できる。

||| 韓国の文化遺産

　文化遺産はその文化を共有する集団の歴史・伝統・風習などを集約した象徴的な存在である。朝鮮半島の文化遺産は、時代によって仏教・儒教文化などの影響を受けつつ発展・維持されてきた。

||| 三国時代〜高麗時代
불교문화, 仏教文化

　高句麗、百済、新羅の三国は、互いに競い合うなかで、中国、日本などとも交流しながら発展していった。とりわけ、三国時代に朝鮮半島に入ってきた仏教は、学問、音楽、工芸、建築など、様々な文化に影響を与えた。仏教関連の文化遺産には、塔、寺、仏像などがある。仏教は統一新羅と渤海はもちろん、高麗時代にも大きく発展した。また三国時代には、農業に必要な情報を得て、王の権威と天（神）を繋げるための天文学が発達した。代表的な天体観測機器としては、新羅の「瞻星台」(첨성대, チョムソンデ)が有名である。統一新羅では、木版に文字を彫って紙に印刷する木版印刷術が発達した。高麗時代に作った「八万大蔵経」(팔만대장경, パルマンデジャンギョン)は、仏教の経典を印刷するために作った版木である。文字の均整がとれており、美しいばかりでなく、8万1352枚に至る規模と保存技術も世界的に認められている。高麗時代には、崔茂宣（최무선, チェ・ムソン）によって初めて火薬を使用した武器も開発された。

||| 朝鮮時代
유교문화, 儒教文化

　朝鮮時代には儒教を中心に社会秩序と礼法を守る国を作るために努力した。儒教の理念の中でも、とりわけ「三綱五倫」(삼강오륜)と冠婚葬祭がもっとも重視された。三綱五倫を教えることで、民は国に忠誠を示し、親と目上の人を尊敬し、男女間の道理を守り、成人式、結婚式、葬式、法事を挙げる時は、儒教の礼法に従う

ようにさせた。また朝鮮時代には、豊かで強い国を作り、民の生活に役立つ科学技術がもっとも重要だと考えた。とりわけ世宗の時には「仰釜日晷」(앙부일구,日時計)、「自撃漏」(자격루,水時計)、「渾天儀」(혼천의,天体観測機器)などの科学機器が多く発明された。そして、世界初の降雨量測定器である「測雨機」(측우기)も発明され、各地域で降った雨の量を測るために使用された。こうした科学機器の発明で日常生活における時刻のみならず、24節気を正確に把握することができ、農作業にも非常に役立った。他方、朝鮮後期には、東西洋の建築技術を利用して水原の華城（화성）を建設したが、この時に「挙重機」(거중기)を使うことで工事期間を大幅に減らすこともできた。

《 慶州・佛國寺 》

朝鮮時代の5大王宮

　朝鮮時代の「宮闕」（궁궐，以下、王宮)には、法宮（법궁）と離宮（이궁）がある。法宮は王が政務を行う王宮である。離宮は法宮とは区分された王宮で、政治的な空間というよりは、王が日常生活を送る空間であった。ソウルには朝鮮時代の王宮が、景福宮（경복궁）、昌德宮（창덕궁）、昌慶宮（창경궁）、慶熙宮（경희궁）、德壽宮（덕수궁)と5つある。元々朝鮮の王宮が5か所あったわけではなく、戦争、反乱、火災などで新しい王宮を建てたり、古い王宮を直したりしているうちに今の数となった。

▼ 景福宮 1395年

　朝鮮が漢陽（現在のソウル）に都を移してから、最初に建てた王宮。1592年、文禄・慶長の役（임진왜란，壬申倭乱）で焼失したが、1867年高宗の父である興宣大院君（흥선대원군，フンソンデウォングン）が再び建立した。当時の景福宮には、500余りの建物があったが、日本の植民地時代に大半が撤去された。しかし、1990年から本格的に再建築する作業が始まった。景福宮の正門が、光化門（광화문）である。朝鮮時代には光化門の前に重要な公共機関が集まっていた。現在でも市民が政府に意見を主張するために、光化門の前にある広場に集まることには、こうした象徴的な意味がある。

▼ 昌德宮 1405年

　戦争や災難などで景福宮が使えない時に備えて建てた王宮。文禄・慶長の役で焼けた景福宮を建て直す時に、王は昌德宮で生活した。昌德宮は、周辺の自然と調和するように配置されており、森、木、池などが美しい。この価値が認められ、1997年にユネスコ世界遺産に指定された。ユネスコ世界遺産委員会は「東アジアの宮殿建築史において、非定型的造形美を持った代表的な宮殿として周辺の自然環境との完璧な調和と配置が優れている」と評価した。

▼ 昌慶宮 1483年

昌徳宮のそばに昌慶宮を建てたのは、増えていく王室の家族の生活空間を確保するためであった。昌慶宮は、独立した王宮の役割を果たしつつ、昌徳宮で不足している空間を補充する役割もしており、「昌徳宮の拡張版」であった。塀を間において繋がっていた二つの王宮は、まるで一つのように利用され、「東闕」(동궐)とも呼ばれた。

▼ 慶熙宮 1617年

朝鮮後期の重要な王宮で、「西闕」(서궐)とされた。元々は慶徳宮（경덕궁）と呼ばれていた。有事の際、王が本宮を離れ離宮とするために建てられた。元々慶熙宮にも崇政殿（숭정전）と資政殿（자정전）以外にも数多くの殿閣が配置されていたが（『西闕図案』(서궐도안,1820年制作）でその規模が把握できる）、高宗の時に景福宮が増設されると、殿閣の殆どが景福宮に移された。また植民地時代には、朝鮮総督府の所有となり、京城中学校と官舎などが建てられ、王宮の様相が損なわれた。

▼ 德壽宮 1897年

1897年、大韓帝国がスタートした時に皇帝が住んでいた王宮で、慶運宮（경운궁）と呼ばれていたが、1907年に高宗が德壽宮とした。1910年には、近代西洋様式の石造殿（석조전)が建てられた。伝統的な木造建築と西洋式建築の両方が残っており、朝鮮時代の5大王宮中、規模としてはもっとも小さい。

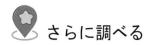

さらに調べる

宮闕：「宮」と「闕」

宮（궁）は、王と王族が生活しながら、業務を行っていた空間。闕（궐）は、宮を守る塀や望楼(망루)などの防御用の施設を意味する。景福宮の南側にある「東十字閣」(동십자각)は、今は景福宮とは離れているが、元々は宮を守る望楼施設の一つであった。しかし、こうして宮と闕を区分するよりは、宮闕を一括りとして「公私ともに王が生活した場所」と考えている。

韓国のユネスコ世界遺産

ユネスコ世界遺産（유네스코 세계유산）とは、1972年11月のユネスコ第17次定期総会で採択された「世界文化および自然遺産保護協約」によって、地域に関係なく、人類全体にとって普遍的価値がある遺産をユネスコが「世界遺産一覧表」に登録した文化財のことである。世界遺産は、3つの分野に分けて指定される。歴史考古学的な記念物と建築物、遺跡は文化遺産に該当し、自然に生成された記念物の中で、科学的に保存状態や景観などの価値が優れている場合には、自然遺産として指定される。また、両方を兼ね備えている場合は、複合遺産として分類される。そして、戦争・紛争地域にある「危機にある世界遺産」は別途指定される。

2021年7月現在、登録されている遺産は、167か国1154件（文化遺産897件、自然遺産218件、複合遺産39件）、危機にある世界遺産52件である。なお、韓国のユネスコ登録遺産は、2022年現在、世界遺産15件（文化遺産13件、自然遺産2件）、無形文化遺産22件、世界の記憶16件である。世界遺産（文化遺産）に登録されている韓国の文化財の形成時期は、古代から朝鮮王朝に至るまで様々な時期に分布している。王宮、寺院、城のような遺跡や建築物も含まれており、芸術的価値、科学的合理性など、様々な価値を持っている。

韓国の世界遺産（自然遺産)である「済州火山島と溶岩洞窟」(2007年)は、地質学的な特有性や生態学的価値を持っており、自然景観に優れている。特に拒文オルム溶岩洞窟系は様々な色の炭酸塩洞窟生成物でできている。黒味がかった溶岩の壁に囲まれた世界屈指の美しい洞窟だ。「韓国の干潟」(2021年)は生物多様性保全のために世界的に重要で意味のある生息地として認められ、舒川、高敞、新安、宝城・順天干潟が登録されている。

さらに、無形文化遺産は、2003年のユネスコ無形文化遺産保護協約により、文化的多様

性や創意性を維持し、消滅の危機に瀕した口承や無形遺産を保護するためにつくられた制度である。文化、音楽、舞踊、儀式、慣習など、多種多様な分野のものが含まれている。世界の記憶は世界的に価値のある記録物を保存するように指定した遺産で、文字記録のほか、地図、楽譜などの非文字資料、映画や写真などの視聴覚資料などがすべて含まれる。韓国は『訓民正音』(解例本)、『朝鮮王朝實錄』など、様々な形態の世界の記憶を保有している。

※ユネスコと遺産 https://heritage.unesco.or.kr/

《 仰釜日晷 》

調査する・考える・発表する

- ✓ 統一新羅の佛国寺　통일신라의 불국사
- ✓ 八万大蔵経　팔만대장경
- ✓ 成均館　성균관
- ✓ 高宗の道　고종의 길
- ✓ 国立古宮博物館　국립고궁박물관

講義ノート 1 （提出用）

学籍番号： ＿＿＿＿＿＿＿＿＿＿＿＿＿＿ 氏名： ＿＿＿＿＿＿＿＿＿＿＿＿＿＿＿＿

講義テーマ： ＿＿＿＿＿＿＿＿＿＿＿＿＿＿＿＿＿＿＿＿＿＿＿＿＿＿＿＿＿＿＿＿＿

学習目標： ＿＿＿＿＿＿＿＿＿＿＿＿＿＿.＿＿＿＿＿＿＿＿＿＿＿＿＿＿＿＿＿＿＿＿

＿＿＿＿＿＿＿＿＿＿＿＿＿＿＿＿＿＿＿＿＿＿＿＿＿＿＿＿＿＿＿＿＿＿＿＿＿＿＿

＿＿＿＿＿＿＿＿＿＿＿＿＿＿＿＿＿＿＿＿＿＿＿＿＿＿＿＿＿＿＿＿＿＿＿＿＿＿＿

＿＿＿＿＿＿＿＿＿＿＿＿＿＿＿＿＿＿＿＿＿＿＿＿＿＿＿＿＿＿＿＿＿＿＿＿＿＿＿

＿＿＿＿＿＿＿＿＿＿＿＿＿＿＿＿＿＿＿＿＿＿＿＿＿＿＿＿＿＿＿＿＿＿＿＿＿＿＿

＿＿＿＿＿＿＿＿＿＿＿＿＿＿＿＿＿＿＿＿＿＿＿＿＿＿＿＿＿＿＿＿＿＿＿＿＿＿＿

＿＿＿＿＿＿＿＿＿＿＿＿＿＿＿＿＿＿＿＿＿＿＿＿＿＿＿＿＿＿＿＿＿＿＿＿＿＿＿

＿＿＿＿＿＿＿＿＿＿＿＿＿＿＿＿＿＿＿＿＿＿＿＿＿＿＿＿＿＿＿＿＿＿＿＿＿＿＿

＿＿＿＿＿＿＿＿＿＿＿＿＿＿＿＿＿＿＿＿＿＿＿＿＿＿＿＿＿＿＿＿＿＿＿＿＿＿＿

＿＿＿＿＿＿＿＿＿＿＿＿＿＿＿＿＿＿＿＿＿＿＿＿＿＿＿＿＿＿＿＿＿＿＿＿＿＿＿

＿＿＿＿＿＿＿＿＿＿＿＿＿＿＿＿＿＿＿＿＿＿＿＿＿＿＿＿＿＿＿＿＿＿＿＿＿＿＿

＿＿＿＿＿＿＿＿＿＿＿＿＿＿＿＿＿＿＿＿＿＿＿＿＿＿＿＿＿＿＿＿＿＿＿＿＿＿＿

＿＿＿＿＿＿＿＿＿＿＿＿＿＿＿＿＿＿＿＿＿＿＿＿＿＿＿＿＿＿＿＿＿＿＿＿＿＿＿

＿＿＿＿＿＿＿＿＿＿＿＿＿＿＿＿＿＿＿＿＿＿＿＿＿＿＿＿＿＿＿＿＿＿＿＿＿＿＿

講義ノート 2

課題シート（提出用）

学籍番号： ＿＿＿＿＿＿＿＿＿＿＿＿＿　　氏名： ＿＿＿＿＿＿＿＿＿＿＿＿＿＿＿

課題テーマ： ＿＿＿＿＿＿＿＿＿＿＿＿＿＿＿＿＿＿＿＿＿＿＿＿＿＿＿＿＿＿＿＿

＿＿＿＿＿＿＿＿＿＿＿＿＿＿＿＿＿＿＿＿＿＿＿＿＿＿＿＿＿＿＿＿＿＿＿＿＿＿＿

＿＿＿＿＿＿＿＿＿＿＿＿＿＿＿＿＿＿＿＿＿＿＿＿＿＿＿＿＿＿＿＿＿＿＿＿＿＿＿

＿＿＿＿＿＿＿＿＿＿＿＿＿＿＿＿＿＿＿＿＿＿＿＿＿＿＿＿＿＿＿＿＿＿＿＿＿＿＿

＿＿＿＿＿＿＿＿＿＿＿＿＿＿＿＿＿＿＿＿＿＿＿＿＿＿＿＿＿＿＿＿＿＿＿＿＿＿＿

＿＿＿＿＿＿＿＿＿＿＿＿＿＿＿＿＿＿＿＿＿＿＿＿＿＿＿＿＿＿＿＿＿＿＿＿＿＿＿

＿＿＿＿＿＿＿＿＿＿＿＿＿＿＿＿＿＿＿＿＿＿＿＿＿＿＿＿＿＿＿＿＿＿＿＿＿＿＿

＿＿＿＿＿＿＿＿＿＿＿＿＿＿＿＿＿＿＿＿＿＿＿＿＿＿＿＿＿＿＿＿＿＿＿＿＿＿＿

＿＿＿＿＿＿＿＿＿＿＿＿＿＿＿＿＿＿＿＿＿＿＿＿＿＿＿＿＿＿＿＿＿＿＿＿＿＿＿

＿＿＿＿＿＿＿＿＿＿＿＿＿＿＿＿＿＿＿＿＿＿＿＿＿＿＿＿＿＿＿＿＿＿＿＿＿＿＿

＿＿＿＿＿＿＿＿＿＿＿＿＿＿＿＿＿＿＿＿＿＿＿＿＿＿＿＿＿＿＿＿＿＿＿＿＿＿＿

質問事項

＿＿＿＿＿＿＿＿＿＿＿＿＿＿＿＿＿＿＿＿＿＿＿＿＿＿＿＿＿＿＿＿＿＿＿＿＿＿＿

＿＿＿＿＿＿＿＿＿＿＿＿＿＿＿＿＿＿＿＿＿＿＿＿＿＿＿＿＿＿＿＿＿＿＿＿＿＿＿

＿＿＿＿＿＿＿＿＿＿＿＿＿＿＿＿＿＿＿＿＿＿＿＿＿＿＿＿＿＿＿＿＿＿＿＿＿＿＿

南北分断と統一問題 남북 분단과 통일문제

学習目標

◆ 朝鮮半島における南北分断の歴史背景について理解できる。

◆ 朝鮮半島の統一問題について説明できる。

◆ 東アジアにおける平和問題について発表できる。

||| 1945年8月

1945年8月、日本が連合国への無条件降伏を公表（ポツダム宣言を受諾）したことで、朝鮮半島は光復を迎えた。光復は、連合国の勝利によって得られたものであると同時に、朝鮮人の長い独立運動の結果でもあった。光復以後、朝鮮半島では新しい国を作るための努力が続けられた。しかし、朝鮮半島の安定を目的として北緯38度線の南側には米軍が、北側にはソ連軍が占領し朝鮮半島を統治したため、すぐには新しい国家を樹立できなかった。

||| 統一政府樹立のための努力

1945年12月、アメリカ、イギリス、ソ連の外務大臣は、モスクワに集まった（モスクワ3国外相会議)。彼らは朝鮮半島に民主的な臨時政府を樹立させることに合意し、これらを手助けするためにアメリカとソ連は米ソ共同委員会を開催することを決定した。また最大5年間、朝鮮半島に信託統治を実施することと決定したが、朝鮮半島では信託統治に反対する人々と、モスクワ3国外相会議の決定を支持する人々の間で大きな葛藤が起き、結局2回に渡り開かれた米ソ共同委員会は成果をあげることができなかった。そして、1947年の国際連合（UN）総会では、朝鮮半島で総選挙を実施し、統一政府を樹立させることを決定、これを支援することとした。しかし、ソ連は北側で国際連合が活動することに反対し、結局国際連合は38度線の南側だけで総選挙を実施することを決定した。

||| 大韓民国政府の樹立

国際連合の決定により、1948年5月10日に38度線以南（南韓地域）で国会議員を選出する選挙（5・10総選挙）が実施された。この選挙で当選した国会議員らは、国会（制憲国会）を開き、国名を「大韓民国」と定め、大韓民国憲法（制憲憲法）を作り発表した。そして大統領に李承晩（이승만, イ・スンマン)、副大統領に李始

栄（이시영, イ・ションウ）を選出した。1948年8月15日、初代大統領の李承晩は、大韓民国政府樹立を国内外に宣布した。以後、大韓民国は国際連合と多くの国からの承認を得た。38度線以北（北韓地域）でも1948年9月9日に朝鮮民主主義人民共和国（以下、北朝鮮）政府が樹立した。これにより、体制が異なる韓国政府と北朝鮮政府がそれぞれ誕生した。38度線は分断線として確立されていき、南北間の対立と葛藤も大きくなっていった。

||| 朝鮮戦争

　1950年6月25日の朝方、38度線を超えて北朝鮮軍が韓国に攻撃を開始した。北朝鮮軍は3日でソウルを占領し、韓国政府は釜山を臨時首都とした。国際連合（UN）は北朝鮮からの攻撃を「侵略」と規定し、韓国を支援するために国連軍を派遣した。釜山近郊を流れる洛東江（낙동강）の近くまで後退した韓国軍と国連軍は、仁川上陸作戦（인천상륙작전）に成功しソウルを奪還したが、これに対して中国は、1950年10月に人民解放軍を朝鮮に派遣した。その後の攻防戦を経て、1951年7月から国連軍と北朝鮮・中国軍の間で休戦会談が開かれ、この2年後の1953年7月に板門店で休戦協定が調印された。以後、韓国と北朝鮮は、休戦ラインを境界として分断状態が続いている。

● 朝鮮戦争の犠牲者数

区分	犠牲者数(名)
韓国軍	137,889
韓国の民間人	244,663
北朝鮮軍	508,797
北朝鮮の民間人	約1,500,000
国連軍	40,670
中国軍	116,000

【出典】韓国戦争60周年記念事業会

《 朝鮮戦争（韓国戦争，6・25）関連ポスター 》

||| 南北対話のための努力

　1960年代末以降、世界的に平和を願う雰囲気が強くなり、南北関係においても望ましい変化が現れた。1972年7月4日、韓国と北朝鮮が統一に対する原則（自主、平和、民族大団結）に合意する共同声明を発表した。しかし、北朝鮮の会談中断宣言で、南北対話は長く続かなかった。盧泰愚（노태우，ノ・テウ）大統領政権期に南北対話が再開され、1991年には韓国と北朝鮮が国際連合に同時加入した。また相互の体制を認め、侵略しないことを約束する南北基本合意書を発表し、朝鮮半島非核化宣言も行った。しかし、北朝鮮の核開発の疑惑が持ち上がり、南北関係は悪化することになる。

南北首脳会談

　「太陽政策」を掲げた金大中（김대중，キム・テジュン）政権期の1998年に、北朝鮮にある金剛山（금강산）観光が始まり、2000年には南北分断以後、初めて平壌で南北首脳会談(남북정상회담)が開催された。韓国の金大中大統領と北朝鮮の金正日（김정일，キム・ジョンイル）国防委員長は、6・15南北共同宣言を通し経済交流を増やし、離散家族の行事を開催するなど、南北関係を大きく改善させた。2007年には、盧武鉉（노무현，ノ・ムヒョン）大統領と金正日国防委員長が2回目の南北首脳会談を開催した。この会談では、10・4南北共同宣言を通して、南北の平和を目指し経済的交流と協力を増進することにした。しかし、北朝鮮の核実験などがきっかけとなり、南北関係は再び危機を迎える。文在寅（문재인，ムン・ジェイン）大統領は、2018年平昌冬季オリンピック(평창 동계올림픽)をきっかけに、南北和解と協力の雰囲気を作り、北朝鮮の金正恩（김정은，キム・ジョンウン）国務委員長と南北首脳会談を行った。

分断の現実

　朝鮮半島は1945年の光復以後、38度線を境に南と北が分断され、朝鮮戦争で南北分断が固着した状態で今日に至っている。南北分断によって様々な問題が生じている。まず、南北分断で数多くの離散家族(이산가족)を作ってしまったことである。離散家族は、朝鮮戦争で避難する過程で別れた家族と戻れない故郷への想いで今も苦しんでいる。また長い分断のために、南北の言語と生活スタイルが大きく異なってきた。分断が長くなればなるほど、こうした差異も大きくなると予想できる。経済的な側面では、分断のために南北両方が莫大な費用と人員を国防に費やしていることが挙げられる。韓国の場合、2020年の国防費に約50兆ウォンを費やし、毎年約50万人以上の若者が軍隊に入隊している。一方、北朝鮮の核実験やミサイル発射などにより、南北が対立している場合は、韓国内だけなく、近隣国家にまで不安を与える点も分断の問題点と言える。

⫿⫿⫿ 分断費用と統一費用

　韓国と北朝鮮が分断状態の維持にかける費用を「分断費用」(분단 비용)という。分断費用には、国防費のように直接的にかかるお金はもちろん、外交的な競争費用、南北葛藤に対する不安、離散家族の苦痛なども含まれる。他方、「統一費用」(통일 비용)とは、統一のために南北の差異を減らし、交流しながら統合するためにかかる費用を意味する。例えば、南北の制度の統合費用、経済的な投資にかかる費用などである。統一をするためにも多くの費用がかかるが、長期的に考えれば、分断費用が統一費用より多くかかると言える。統一となれば、国防費や外交費用を減らし、経済開発、教育、福祉などに使用できるため朝鮮半島がより発展できると期待されている。

⫿⫿⫿ 統一の必要性

　南北統一となれば、一、朝鮮半島に平和をもたらすだけでなく、世界平和(세계평화)にも寄与できる。これを通して、南北の国民すべてに安全な生活が保障される。二、元々一つであった南北の同質性を回復できる。とりわけ、韓国と北朝鮮にいる離散家族が再び故郷に帰ることができ、互いが自由に会うこともできる。三、経済発展と政治的安定を通して、国家競争力(국가 경쟁력)を高めることができる。国防費として使用していた資金を経済に投資でき、国土の効率的な利用も可能となる。北朝鮮にいる住民の人権(인권)や生活の改善にも繋がる。

 さらに調べる

「部隊チゲ」

　朝鮮戦争以後、米軍が滞在していた地域を中心に部隊チゲ（부대찌개）という食べ物ができた。この食べ物は、米軍部隊の近くで作ったことから部隊チゲと呼ばれた。部隊チゲは、戦争後に食べ物が不足していた人々が、米軍が食べるハム、ソーセージ、肉などをもらってきて、それにキムチを入れて鍋にして食べたことから始まる。

「ミル麺」

朝鮮戦争時に北朝鮮から来た避難民は、冷麺（냉면，北朝鮮地域に冷麺の発祥地がある）を食べたがっていたが、材料のメミル（そば粉）を手に入れるのが難しく、小麦粉にジャガイモの粉を混ぜて、冷麺に似た麺を作って食べた。これをミル麺（밀면）と呼んだ。

板門店

板門店（판문점）は、ソウルの西北側から48㎞、開城の東側から10㎞の地点にある。韓国の行政区域としては「京畿道坡州市津西面」(경기도 파주시 진서면)に、北朝鮮の行政区域としては、「開城特別市板門郡板門里」(개성특별시 판문군 판문리)に該当する。板門店は南北の共同警備区域（공동경비구역，JSA，Joint Security Area)として、1953年7月27日に「停戦協定」(정전협정)が締結された後、朝鮮半島の分断を象徴する場所となった(休戦会議は、1951年〜1953年の1年9か月間行われた)。しかし、2018年に韓国の文在寅大統領と北朝鮮の金正恩国務委員長が、この場所で朝鮮半島の平和と繁栄、統一のための板門店宣言を発表した。2019年には、金正恩国務委員長とアメリカのトランプ大統領が板門店で相互協力について話し合ったこともある。板門店の南と北の両側2㎞の地帯は、韓国と北朝鮮のどちらにも属さない「非武装地帯」(비무장지대，DMZ，Demilitarized Zone)とされている。韓国人だけでなく、外国人でも事前に申請すれば、非武装地帯を見学できる。板門店の南側には「自由の家」(자유의 집)、「平和の家」(평화의 집)があり、北側には「板門閣」(판문각)、「統一閣」(통일각)がある。自由の家と板門閣では、韓国と北朝鮮が必要時に連絡ができる連絡事務所(연락사무소)もある。

「南北合同チーム」

2018年2月9日、江原道の平昌で開かれた2018年平昌冬季オリンピックの開幕式(개막식)で、韓国と北朝鮮の選手団(선수단)の共同旗手(공동기수)は、「韓半島旗」(한반도기)を掲げて同時に入場した(旗手の後を韓国と北朝鮮のオリンピック選手団合わせて180人余りが入場)。平昌では、韓国と北朝鮮が女子アイスホッケーの南北チームを結成し出場した。こうしたスポーツイベントを通した南と北との交流は、単なる交流ではなく以後南北首脳会談と様々な交流などへ繋がった。

戦後韓国における「統一教育」の変遷

　戦後、韓国の教育課程における「統一教育」の変遷とその内容について学習しよう。

● 教育課程時期別の統一教育の特徴及び学校統一教育関連の内容

時期(教育課程)	統一教育の特徴	政策・目標及び体制・編成上の特徴
第1次 1954〜1963	反共勝共教育 반공승공교육	• 反共教育・道義教育 • 反共・反日教育内容を含む
第2次 1963〜1973		• 小中高の教科活動以外に、反共・道徳生活を週に2時間教育。高等学校の国民倫理4単位を実施 • 中学校道徳→『民主生活』と『勝共統一の道』の二分冊として編纂（1978年まで）
第3次 1973〜1981		• 道徳科から独立、共同必須科目 • 道徳科及び国民倫理科の教科として編成 • 平和的統一の志向の目標の試み
第4次 1981〜1987		• 民族共同体意識の高揚 • 平和統一の信念の涵養 • 統一教育と理念教育の強調
第5次 1987〜1992	統一安保教育 통일안보교육	• 大学の国民倫理を教養必須から除外 • 北韓に対する盲目的敵愾心を脱皮 • 統一安保教育の強調（民主化の時期）
第6次 1992〜1997	統一教育 통일교육	• 統一教育を道徳科以外に、全般的な教科に反映 • 安保教育は、統一教育の一環として変化
第7次 1997〜2006		• 教育課程の総論での統一教育に関する言及なし • 道徳科の高1の一学期の統一教育 • 統一教育の全教科へ拡大の試み
2007年改訂 2007〜		• 統一教育を道徳科の一部の大単元に限定 • 道徳性中心の教育課程の編成
2009年改訂 2011〜		• 統一教育を道徳科目の一部の大単元に限定 • 道徳性中心の教育課程の編成、一部縮小
2015年改訂 2017〜	統一教育→ 平和・統一教育 평화통일교육 （2018年〜）	• 統一教育課程を運営 • 統一教育の資料の開発と普及 • 体験型プログラムを開発、実施

【出典】拙論「韓国「道徳科」教科書における「統一教育」の特徴」『大分県立芸術文化短期大学研究紀要』(第56巻、2019年3月、155〜175頁)。拙論は、大分県立芸術文化短期大学リポジトリサイト(https://geitan.repo.nii.ac.jp/)で検索・確認できる。

調査する・考える・発表する

- ✓ 非武装地帯（DMZ）
- ✓ 映画『ハナ 奇跡の46日間』『코리아』2012年
- ✓ ドラマ『愛の不時着』『사랑의 불시착』2019年
- ✓ 映画『6/45』『육사오』2022年
- ✓ 朝鮮半島の統一問題　한반도 통일문제
- ✓ 韓国における「平和・統一教育」 평화・통일교육
- ✓ 統一部・国立統一教育院　통일부・국립통일교육원
- ✓ 京畿道教育庁編 『平和時代を開く統一市民』教科書シリーズ
  경기도 교육청 편 『평화 시대를 여는 통일시민』 교과서 시리즈
- ✓ 学校統一教育実態調査　학교통일교육 실태조사

講義ノート 1 （提出用）

学籍番号： _____ 氏名： _____

講義テーマ： _____

学習目標： _____

_____

_____

_____

_____

_____

_____

_____

_____

_____

_____

_____

_____

講義ノート 2

課題シート（提出用）

学籍番号： _____　　　氏名： _____

課題テーマ： _____

_____

_____

_____

_____

_____

_____

_____

_____

_____

_____

_____

質問事項

_____

_____

_____

韓国の政治 한국의 정치

学習目標

◆ 戦後韓国の政治について理解できる。

◆ 韓国と日本の立法部・行政部・司法部について説明できる。

◆ 韓国と日本の選挙制度について比較できる。

||| 韓国の政治

　民主主義(민주주의)は「市民」(시민, 韓国の文献では「国民,국민」としている)が自らの権利を行使する政治制度である。また、民主主義国家は、主権が市民にあり、市民の意思により運営される政治を展開する国だ。韓国は、民主主義国家として民主主義制度と価値を実現している。しかし、韓国が民主主義国家になる過程は順調ではなかった。植民地朝鮮時代、朝鮮戦争、南北分断を経験した後も軍事政権によって完全な平和を成し遂げることができなかった。数十年間に渡り、市民が力を合わせ軍事政権に抵抗することで、ようやく民主主義国家になった。このように韓国の民主主義は、市民が自ら手に入れた大切な政治制度と言える。

《 投票キャンペーンポスター 》

||| 韓国の憲法

　大韓民国の憲法(헌법)は1948年7月17日に制定された。憲法には大韓民国のアイデンティティと特徴が表れている。憲法の第1条には、「一、大韓民国は民主共和国である。二、大韓民国の主権は国民にあり、すべての権力は国民から生ずる」とし、大韓民国が国民主権の原理に基づいていることがわかる。そして、憲法には国民の権利(권리)と義務(의무)のほか、立法部・国会(입법부・국회)、行政部(행정부)、司法部・法院(사법부・법원)をはじめとする国家機関の組織と運営方法が提示されている。例えば、国会の構成、国会議員(국회의원)の選挙、大統領(대통령)の権限、大統領選挙、法院の構成と機能、憲法裁判所(헌법재판소)の構成と役割などを規定している。さらに、大韓民国が志向している法治主義(법치주의)、平和統一(평화통일)、地方自治(지방자치)、経済民主化(경제 민주화)なども憲法にすべて明示されている。

《 青瓦台 》

▍▍▍ 憲法裁判所

　1987年に改訂された大韓民国の憲法では、憲法裁判所という機関を作り憲法と国民の基本権を保護するとした。憲法裁判所は、9名の裁判官で構成されており、立法部、行政部、司法部のどこにも属さない独立した機関である。

▼ 憲法裁判所の役割

① 国会で作った法律が憲法に合っているか判断する。憲法裁判所が違憲と判決した法律は無効となる。

② 国会が大統領や長官(장관)、法官(법관)など、一部の高位公務員(고위 공무원)の罷免を要求する際にその審判をする。高位公務員が憲法や法律に違反したと憲法裁判所が判決を下せば、その公務員は直ちに罷免される。2017年に憲法裁判所は、当時の大統領の罷免を決定したことがある。

③ 大韓民国の国民が憲法に保障された基本権を国家権力により侵害されたかを決定する。2000年代半ばまでは、男性を中心とする家族の秩序を規定した法（戸主制,호주제）があったが、この法が人間の尊厳性および両性平等(양성평등)に合わず、国民の基本権を侵害しているという憲法裁判所の判決によって廃止され、家族関係登録法(가족관계등록법)に変わった。

||| 立法部（国会）

▼ 立法部(国会)

国民の代表が集まり、国家の重要なことを論議し、それと関連する法を制定したり改訂したりする機関を立法部というが、韓国では立法部を国会と称している。

● 国会議員の選出

選挙権	被選挙権	任期	議員数
満18歳以上	満25歳以上	4年	300人（地域区253人、比例代表47人、2020年基準）

▼ 国会議員の特権

不逮捕の特権

▼ 国会議員の義務

① 憲法順守の義務
② 清廉と国益優先の義務
③ 地位濫用と営利行為禁止の義務
④ 兼職禁止の義務

▼ 国会の役割

① 立法に関すること。
② 国家財政に関すること。
③ 国政に関すること。

||| 行政部

▼ 行政部

国会が作った法を基盤として、公益実現を目的に政策を実施する組織。
① 社会秩序の維持および治安
② 公共施設の設立と管理
③ 政策の開発および執行

▼ 行政部の構成

① 大統領：最高責任者。国民総選挙により選出。行政部を統率し、国務会議を経
　て国家の重要事項を決定する。任期は5年であり、再任できない。

② 国務総理(국무총리)：行政部の次席で、行政各部を総括する。大統領の国政運営を補佐しながら、大統領が空席となった場合、権限を代行する。

③ 国務会議(국무회의)：大統領、国務総理、行政各部長官をはじめとする国務委員として構成された行政部の最高審議機関。

④ 行政各部：企画財政部、国防部、教育部、外交部、法務部など。

▼ 大統領の地位と権限

① 外交(외교)、国防(국방)、統一など、国家安全に関する重要政策を国民投票にかける権限を持っており、天災地変など国家に緊急な出来事が起これば、各関連部署にその対応などの指示ができる。

② 行政部の最高指揮権を持っており、法律を施行し、最高統帥権者として韓国軍を指揮・統率できる。公務員を任命する権限を持つ。

③ 国民の生活に必要とする法律を国会に提出でき、法律を施行するのに必要ならば大統領令を発表できる。

▼ 行政部の組織

［19部］

雇用労働部(고용노동부)、科学技術情報通信部(과학기술정보통신부)、教育部(교육부)、国家報勲部(국가보훈부)、国防部(국방부)、国土交通部(국토교통부)、企画財政部(기획재정부)、農林畜産食品部(농림축산식품부)、文化体育観光部(문화체육관광부)、法務部(법무부)、保健福祉部(보건복지부)、産業通商資源部(산업통상자원부)、女性家族部(여성가족부)、外交部(외교부)、中小ベンチャー企業部(중소벤처기업부)、統一部(통일부)、海洋水産部(해양수산부)、行政安全部(행정안전부)、環境部(환경부)

［5処］

高位公職者犯罪捜査処(고위공직자범죄수사처)、大統領警護処(대통령경호처)、法制処(법제처)、食品医薬品安全処(식품의약품안전처)、人事革新処(인사혁신처)

［19庁］
警察庁(경찰청)、国税庁(국세청)、関税庁(관세청)、気象庁(기상청)、農村振興庁(농촌진흥청)、大検察庁(대검찰청)、文化財庁(문화재청)、防衛事業庁(방위사업청)、兵務庁(병무청)、山林庁(산림청)、新萬金開発庁(새만금개발청)、消防庁(소방청)、在外同胞庁(재외동포청)、調達庁(조달청)、疾病管理庁(질병관리청)、統計庁(통계청)、特許庁(특허청)、海洋警察庁(해양경찰청)、行政中心複合都市建設庁(행정중심복합도시건설청)

※2024年2月のデータ

司法部（法院）

▼ 司法部

裁判を通して判断を下す機関。司法部は法院とも称される。

▼ 法院の役割

① 裁判を通した紛争解決
② 違法への処罰

▼ 法院の構成

［法院の種類］
大法院(대법원)、高等法院(고등법원)、地方法院(지방법원)、特許法院(특허법원)、家庭法院(가정법원)、行政法院(행정법원)など。一般法院は、大法院・高等法院・地方法院が基本的な三審構造(삼심구조)をなす。

[大法院の構成]

大法院長1名、大法官13名

▼ 法院を通した権利の救済

[公正な裁判制度]

① 三審制度(삼심제도) : 判決に異議がある場合、3回まで裁判が受けられる。

② 公開裁判制度(공개재판제도) : 特別な場合を除き、裁判過程を公開する。

③ 司法部の独立 : 外部の影響や干渉を受けない。

▼ 裁判の種類

① 民事裁判(민사재판)

② 刑事裁判(형사재판)

③ 家事裁判(가사재판)

||| 韓国の選挙制度

　選挙(선거)は、民主主義を維持し発展させるもっとも重要な要素の一つで、国民は選挙を通して自身を代表する人を直接選ぶこととなる。民主主義国家においては、国民が政治に参加する基本的な方法だ。大韓民国政府の樹立以後、選挙制度が数回変わり、不正選挙のために混乱を経験した。ところが、1987年の6・10民主抗争を通して、間選制から直選制に改憲し、1991年3月、約30年ぶりに地方選挙が復活して、「節次的民主主義」(절차적 민주주의, Procedural Democracy)を完成でき

た。韓国では満18歳以上の国民であれば国政選挙の選挙権がある（地方選挙では一定の条件を満たす永住権を持った外国人にも選挙権がある）。大統領候補として出馬できる年齢は満40歳以上だ。そして、国会議員と地方議員の被選挙権は、2021年公職選挙法の改訂によって、25歳以上から18歳以上に引き下げられた。投票日に外国に行くなどの理由で投票できない場合は、「事前投票制度」(사전투표제도)が利用できる（決まっている期間に全国の事前投票所で事前投票が可能）。選挙のすべての日程は、中央選挙管理委員会が厳格に管理する。

▼ 選挙の4大原則

公正な選挙のために、韓国の憲法では普通・平等・直接・秘密選挙という選挙の4大原則を規定している。
- 普通選挙(보통선거)：性別、身分、学歴などに関係なく、満18歳以上になったら誰でも参加できる。
- 平等選挙(평등선거)：すべての人が公平に、一人一票ずつ投票する。
- 直接選挙(직접선거)：投票権のある人が直接投票する。
- 秘密選挙(비밀선거)：どの候補者を選んだのかは秘密にするのが原則である。

▼ 選挙の種類

- 大統領選挙（대선, 大選）：5年に一度、大統領を選出（大統領単任制）
- 国会議員の総選挙（총선, 総選）：4年ごとに実施、国会議員300名を選出
- 地方選挙(지방선거)：4年ごとに実施、各地域の地方自治団体長、地方議会委員、教育監の選出。永住権を取得してから3年が過ぎた満18歳以上の外国人のうち、地方自治団体の外国人登録台帳に登録されている人は参加可能。

||| 地方自治の意味と姿

▼ 地方自治の意味

地域住民が自ら地域の代表者を選出し、地域の政治を担当させること。

▼ 地方自治の姿

［地方議会の役割］
・地域住民が選出した議員を構成員として作られた地方自治団体の議決機関として、市・道の議会、市・郡・区の議会がある。
・地域住民を代表して地域の重要なことを決定。
・条例を制定・改訂し、予算を確定し・検討すること以外にも、住民を代表して地方政府を点検する役割を果たす。

　　　　　　　※地方自治団体は、広域自治団体と基礎自治団体に区分される。

 さらに調べる

韓国の民主主義の発展に大きな影響を与えた事件

・「4・19革命」(4・19혁명、1960年)：3・15不正選挙に対する反発として起きた学生と市民のデモで、李承晩を大統領の座から引きずり下ろした。
・「5・18民主化運動」(5・18민주화 운동、1980年)：軍事政権への反対と民主主義の回復に対する光州市民の民主化運動で、デモの過程で数多くの光州市民が軍人によって犠牲になった。
・「6月民主抗争」(6월 민주 항쟁、1987年)：大統領直選制、憲法改正などを求めるデモが全国的に広がり、大統領直選制などの内容を含む憲法が作られた。

国民の権利

- 平等権(평등권)：性別、宗教、人種、職業など、いかなる理由でも不当に差別を受けない権利。
- 自由権(자유권)：国家権力によって個人の自由が勝手に制限されない権利。
- 参政権(참정권)：政治に参加できる権利。
- 請求権(청구권)：国家に対して一定の要求ができる権利。
- 社会権(사회권)：人間らしい生活をするのに必要な最小限のレベルを保証される権利。

国民の義務

- 納税の義務(납세의 의무)：国家の維持と発展のために税金を納付する義務。
- 国防の義務(국방의 의무)：国家の独立維持と領土保全のために、国を守る義務。
  ※ 女性は志願により軍隊に行くことができる。現在、一万名を超える女性軍人がいる。政府は2022年までに女性軍人の定員を8.8%に拡大する方針。
- 教育の義務(교육의 의무)：すべての国民が子どもに教育を受けさせる義務。
- 勤労の義務(근로의 의무)：個人の幸福と国家の発展のために、勤労をする義務。

※ その他
教育、勤労、環境、財産権行使(재산권 행사)などに関することは、国民の権利であると同時に義務である。

調査する・考える・発表する

- ✓ 中央選挙管理委員会　중앙선거관리위원회
- ✓ 韓国の選挙放送(開票案内)
- ✓ 日韓の選挙制度
- ✓ 日韓の投票率

講義ノート 1 （提出用）

学籍番号： ＿＿＿＿＿＿＿＿＿＿＿＿＿＿　氏名： ＿＿＿＿＿＿＿＿＿＿＿＿＿＿＿

講義テーマ： ＿＿＿＿＿＿＿＿＿＿＿＿＿＿＿＿＿＿＿＿＿＿＿＿＿＿＿＿＿＿

学習目標： ＿＿＿＿＿＿＿＿＿＿＿＿＿＿＿＿＿＿＿＿＿＿＿＿＿＿＿＿＿＿＿

＿＿＿＿＿＿＿＿＿＿＿＿＿＿＿＿＿＿＿＿＿＿＿＿＿＿＿＿＿＿＿＿＿＿＿＿＿

＿＿＿＿＿＿＿＿＿＿＿＿＿＿＿＿＿＿＿＿＿＿＿＿＿＿＿＿＿＿＿＿＿＿＿＿＿

＿＿＿＿＿＿＿＿＿＿＿＿＿＿＿＿＿＿＿＿＿＿＿＿＿＿＿＿＿＿＿＿＿＿＿＿＿

＿＿＿＿＿＿＿＿＿＿＿＿＿＿＿＿＿＿＿＿＿＿＿＿＿＿＿＿＿＿＿＿＿＿＿＿＿

＿＿＿＿＿＿＿＿＿＿＿＿＿＿＿＿＿＿＿＿＿＿＿＿＿＿＿＿＿＿＿＿＿＿＿＿＿

＿＿＿＿＿＿＿＿＿＿＿＿＿＿＿＿＿＿＿＿＿＿＿＿＿＿＿＿＿＿＿＿＿＿＿＿＿

＿＿＿＿＿＿＿＿＿＿＿＿＿＿＿＿＿＿＿＿＿＿＿＿＿＿＿＿＿＿＿＿＿＿＿＿＿

＿＿＿＿＿＿＿＿＿＿＿＿＿＿＿＿＿＿＿＿＿＿＿＿＿＿＿＿＿＿＿＿＿＿＿＿＿

＿＿＿＿＿＿＿＿＿＿＿＿＿＿＿＿＿＿＿＿＿＿＿＿＿＿＿＿＿＿＿＿＿＿＿＿＿

＿＿＿＿＿＿＿＿＿＿＿＿＿＿＿＿＿＿＿＿＿＿＿＿＿＿＿＿＿＿＿＿＿＿＿＿＿

＿＿＿＿＿＿＿＿＿＿＿＿＿＿＿＿＿＿＿＿＿＿＿＿＿＿＿＿＿＿＿＿＿＿＿＿＿

講義ノート 2

課題シート（提出用）

学籍番号： _____　　氏名： _____

課題テーマ： _____

_____

_____

_____

_____

_____

_____

_____

_____

_____

_____

_____

質問事項

_____

_____

_____

韓国の経済 한국의 경제

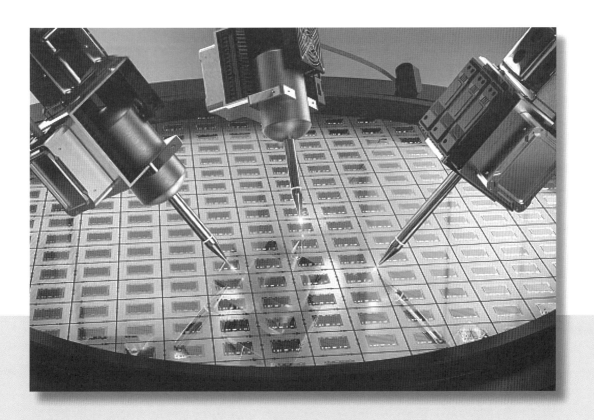

学習目標

◆ 戦後韓国の経済について理解できる。

◆ 韓国と日本の貿易状況について説明できる。

◆ 韓国と日本の決済サービスの特徴について比較できる。

韓国の経済

　韓国は1950年代の朝鮮戦争によって、産業施設の大半が破壊され、国土全体が廃墟となった。以後韓国は、戦争による被害を復旧し、豊かな国になるために取り組んできた。経済成長のために、とりわけ輸出に力を入れ、1950～1960年代には、服、靴、カバン、鬘などを輸出し、1970年代には、機械、船舶、鉄鋼など、1980年代からは、自動車、電機・電子製品などの輸出が大きく増加した。1990～2010年代を過ぎてからは、半導体、携帯電話、新素材などといった輸出品目を加え、さらにドラマや歌のような文化コンテンツ、医療サービスなどの分野における海外進出にも力を入れている。1997年の韓国の通貨危機、2008年の世界的な金融危機なども克服し、かつて最貧国と言われた韓国が大きく成長したことを「漢江の奇跡」(한강의 기적)とも呼んでいる。1953年には67ドルだった一人当たりの国民所得は2021年に34,980ドルを超えた。

漢江の奇跡

　朝鮮戦争が休戦を迎える頃、世界でもっとも貧しかった国の一つだった韓国は、国際社会の支援と自らの努力によって、経済成長の基盤を整えた。その基盤の上で成長し続けてきた結果、経済強国の一つとなった韓国は、他国の経済成長を支援する側として様々な役割を果たしている。韓国は2009年に経済協力開発機構（OECD）の開発援助会議（DAC）に加入し、低開発国家の経済成長を支援している。また韓国国際協力団（KOICA）と対外経済協力基金（EDCF）を中心に、経済状況が厳しい国の保健、教育、衛生、交通環境を改善し、水やエネルギー不足など関連した問題の解決をサポートしている。こうした努力に対し、「以前援助を受けていた国から、援助をする国となった最初の国家」との評価がなされている。
　　※通貨危機：1997年韓国政府が持っている外貨が不足したために経験した経済危機。
　　※金融危機：2008年アメリカから始まり、全世界へ拡大した大規模な経済危機。

||| 物価

　物価（물가）とは、各種の財貨・サービスの価値を総合して計算した平均的な価格を意味する。物価は経済活動に大きな影響を与える。韓国の物価は、全世界的にどのようなレベルなのか。韓国はバスや地下鉄のような公共交通機関の料金、水道料金、電気料金のような公共料金はかなり安い方である。その理由は、交通、水道、電気などの公共サービスを提供する時に韓国政府や政府関連機関が関与するからだ。他方で、米、肉、野菜、果物などのような食材価格は、相当高いという評価を受ける。広い地域で農産物や家畜を大規模に育てている外国に比べ、韓国の農地や牧場が相対的に狭いという点もこれと関係している。一方、ソウルとその周辺地域、そして地方の大都市の場合には、不動産価格がとても高い。ソウルをはじめとする大都市には、職場、学校、文化施設などが多く、それに伴い人口が集中しているためである。

《 大型スーパー 》

▌▌▌ 韓国の貿易現況（2022年基準）

● 韓国の10大貿易国

	輸出国 수출국	比率(%) 70.7	輸入国 수입국	比率(%) 66.9
1	中国 중국	23.0	中国	21.3
2	アメリカ 미국	16.0	アメリカ	11.2
3	ベトナム 베트남	8.9	日本	7.5
4	日本 일본	4.5	オーストラリア	6.1
5	香港 홍콩	4.1	サウジアラビア 사우디아라비아	5.7
6	台湾 대만	3.9	台湾	3.9
7	シンガポール 싱가포르	3.0	ベトナム	3.7
8	オーストラリア 호주	2.8	ドイツ 독일	3.2
9	インド 인도	2.8	カタール 카타르	2.2
10	メキシコ 멕시코	1.9	インドネシア 인도네시아	2.1

【出典】産業通称部・関税庁通関資料「韓国貿易の総括」韓国貿易協会 https://stat.kita.net/newMain.screen

● 韓国の10大交易商品

	輸出商品 수출상품	比率(%) 57.9	輸入商品 수입상품	比率(%) 51.8
1	半導体 반도체	19.1	原油 원유	14.5
2	石油製品 석유제품	9.3	半導体	10.3
3	自動車 자동차	7.7	天然ガス 천연가스	6.6
4	合成樹脂 합성수지	4.2	石炭 석탄	3.9
5	自動車部品 자동차부품	3.4	石油製品	3.7
6	鉄鋼板 철강판	3.3	精密化学原料	3.4
7	フラットパネルディスプレイ 及びセンサー 평판 디스플레이 및 센서	3.2	半導体製造用装置 반도체 제조용 장치	3.0
8	精密化学原料 정밀화학원료	2.7	コンピューター 컴퓨터	2.3
9	無線通信機器 무선통신기기	2.5	自動車	2.1
10	船舶海洋構造物及び部品 선박해양구조물 및 부품	2.5	無線通信機器	2.0

【出典】産業通称部・関税庁通関資料「韓国貿易の総括」韓国貿易協会 https://stat.kita.net/newMain.screen

||| 貨幣

　韓国の貨幣は、硬貨と紙幣がある。硬貨には、1ウォン、5ウォン、10ウォン、50ウォン、100ウォン、500ウォンがあり、紙幣には1,000ウォン、5,000ウォン、10,000ウォン、50,000ウォンがある。日常生活では、1ウォン、5ウォンの硬貨はほとんど使用しない。他に、100,000ウォン以上の小切手を使用することもできる。

小切手を使用する場合には、本人の身分証を提示し、一般的には小切手の裏面に名前や署名、連絡先を書く。最近は貨幣使用が減り、クレジットカードやデビットカードの使用率が高くなっている。またスマートフォンの普及に伴い、モバイル簡易決済サービスを利用する人も大きく増えている。モバイル簡易決済サービスは、主に「○○ペイ」という。

● 紙幣の種類

紙幣(ウォン)	人物・絵	発行
1,000	退渓 李滉　퇴계 이황 表：成均館明倫洞、梅の花 裏：鄭敾の『渓上静居図』	1975年8月14日 現在の紙幣：2007年1月22日
5,000	栗谷 李珥　율곡 이이 表：烏竹軒と竹 裏：申師任堂の『草虫図』	1972年7月1日 現在の紙幣：2006年1月2日
10,000	世宗大王　세종대왕 表：日月五峰図、龍飛御天歌 裏：渾天儀、天象列次分野之図、普賢山天体台望遠鏡	1973年6月12日 現在の紙幣：2007年1月22日
50,000	申師任堂　신사임당 表：申師任堂の『墨葡萄図』と『草蟲図繍屛』の茄子の絵 裏：魚夢龍の『月梅図』、李霆の『風竹図』	2009年6月23日

‖‖ 韓国の地域通貨

　地域通貨は、一般の貨幣と異なり、地方自治団体と地域共同体がそれぞれの地域で流通させる貨幣の一種だ。韓国では2000年代半ばから地域商品の一つのタイプとして地域商品券の導入が活発に推進された。京畿道ソンナム市(경기도 성남시)で、2006年から「ソンナムサラン商品券」(성남사랑 상품권)という地域商品券の導入以降、児童手当、青年手当などを支援する政策手段として活用された。この地域商品券制度は、2018年まで全国に広がり約60の地方自治団体で導入され、2020年には177の地方自治団体において約3兆ウォン規模で施行された。大田広域市の「オント

ンデジョン」(온통대전)のように、地域によって通貨の名称が様々であり、発行形態も、紙・カード・モバイルなど様々である。

《 モバイル簡易決済サービス 》

 さらに調べる

映画「国際市場で逢いましょう」

映画『国際市場で逢いましょう』（『국제시장』2014年）は、釜山広域市中区新昌洞(부산광역시 중구 신창동)にできた国際市場で、戦争で避難してきた人々が集まって商売をする活気あふれる輸入雑貨店「コップニネ」(꽃분이네)の家族を通して韓国の産業化と近代化過程を描いている。主人公のユン・ドクスが家族の生計と弟の学費のためにドイツへ鉱山労働者として出稼ぎに、またベトナム戦争中には技術者として派遣されるストーリーからは、外貨を稼ぐためには手段を問わなかった1960〜1970年代の韓国の経済成長過程がうかがえる。

※ 国際市場の歴史　http://jpn.gukjemarket.co.kr/

公正取引委員会

公正取引委員会（공정거래위원회）は、独占および不公正取引に関する事案を担当する。経済活動の基本的な秩序を確立し、不当な共同行為や不公正取引行為を規制する。反競争的な規制の改革や不公正取引行為の禁止を通して、競争を促進し、消費者主権を確立させ、中小企業の競争基盤を確保する機能を果たしている。

※公正取引委員会　https://www.ftc.go.kr/

簡易決済サービス

簡易決済サービス（간편결제 서비스)とは、財布からプラスチック製のカードを出さずに、オン・オフラインにおいてスマートフォンで決済できるサービスをいう。既存のモバイル決済は、キーボード保安プログラムなど、各種のプラグインを設定して、毎回カード情報や個人情報を入力しなければならない手間があった。簡易決済はこうした複雑な手間を無くしたため、カード情報を一回だけ入力しておけば、以後IDとパスワード、携帯番号、SMSなどを利用した認証だけで、素早く簡単に決済することができる。

調査する・考える・発表する

✓ 日韓の物価(カフェなどチェーン店での価格比較)

✓ 韓国の在来市場　재래시장

✓ 簡易決済の長所と短所

講義ノート 1 （提出用）

学籍番号：＿＿＿＿＿＿＿＿＿＿＿＿＿　氏名：＿＿＿＿＿＿＿＿＿＿＿＿＿＿

講義テーマ：＿＿＿＿＿＿＿＿＿＿＿＿＿＿＿＿＿＿＿＿＿＿＿＿＿＿＿＿＿＿

学習目標：＿＿＿＿＿＿＿＿＿＿＿＿＿＿＿＿＿＿＿＿＿＿＿＿＿＿＿＿＿＿＿

＿＿＿＿＿＿＿＿＿＿＿＿＿＿＿＿＿＿＿＿＿＿＿＿＿＿＿＿＿＿＿＿＿＿＿

＿＿＿＿＿＿＿＿＿＿＿＿＿＿＿＿＿＿＿＿＿＿＿＿＿＿＿＿＿＿＿＿＿＿＿

＿＿＿＿＿＿＿＿＿＿＿＿＿＿＿＿＿＿＿＿＿＿＿＿＿＿＿＿＿＿＿＿＿＿＿

＿＿＿＿＿＿＿＿＿＿＿＿＿＿＿＿＿＿＿＿＿＿＿＿＿＿＿＿＿＿＿＿＿＿＿

＿＿＿＿＿＿＿＿＿＿＿＿＿＿＿＿＿＿＿＿＿＿＿＿＿＿＿＿＿＿＿＿＿＿＿

＿＿＿＿＿＿＿＿＿＿＿＿＿＿＿＿＿＿＿＿＿＿＿＿＿＿＿＿＿＿＿＿＿＿＿

＿＿＿＿＿＿＿＿＿＿＿＿＿＿＿＿＿＿＿＿＿＿＿＿＿＿＿＿＿＿＿＿＿＿＿

＿＿＿＿＿＿＿＿＿＿＿＿＿＿＿＿＿＿＿＿＿＿＿＿＿＿＿＿＿＿＿＿＿＿＿

＿＿＿＿＿＿＿＿＿＿＿＿＿＿＿＿＿＿＿＿＿＿＿＿＿＿＿＿＿＿＿＿＿＿＿

＿＿＿＿＿＿＿＿＿＿＿＿＿＿＿＿＿＿＿＿＿＿＿＿＿＿＿＿＿＿＿＿＿＿＿

＿＿＿＿＿＿＿＿＿＿＿＿＿＿＿＿＿＿＿＿＿＿＿＿＿＿＿＿＿＿＿＿＿＿＿

＿＿＿＿＿＿＿＿＿＿＿＿＿＿＿＿＿＿＿＿＿＿＿＿＿＿＿＿＿＿＿＿＿＿＿

＿＿＿＿＿＿＿＿＿＿＿＿＿＿＿＿＿＿＿＿＿＿＿＿＿＿＿＿＿＿＿＿＿＿＿

＿＿＿＿＿＿＿＿＿＿＿＿＿＿＿＿＿＿＿＿＿＿＿＿＿＿＿＿＿＿＿＿＿＿＿

講義ノート 2

課題シート（提出用）

学籍番号： _____　　氏名： _____

課題テーマ： _____

_____

_____

_____

_____

_____

_____

_____

_____

_____

_____

_____

質問事項

_____

_____

_____

第9課

韓国の観光 한국의 관광

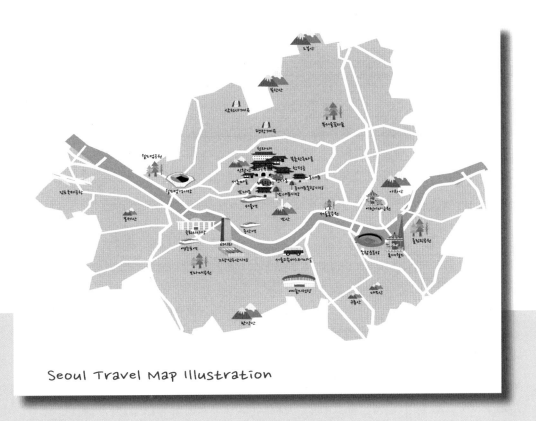

Seoul Travel Map Illustration

学習目標

◆ 韓国の主要都市の概要について理解できる。

◆ 韓国の観光地について調査・紹介できる。

◆ 韓国と日本の観光産業について比較できる。

⫶⫶⫶ ソウル特別市

　韓国の首都は、ソウル特別市である。ソウル特別市の中央には大きな川が流れており、その川の名前は漢江(한강)である。漢江を境に、北側は江北、南側を江南という。ソウル特別市は、25の区（鍾路、中、龍山、城東、広津、東大門、中浪、城北、江北、道峰、蘆原、恩平、西大門、麻浦、陽川、江西、九老、衿川、永登浦、銅雀、冠岳、瑞草、江南、松坡、江東）と424の洞に分けられている。500年に渡って朝鮮王朝の首都であったソウルには、重要な文化遺産も数多くある。朝鮮王朝の歴史の舞台だった景福宮、徳寿宮、昌徳宮、昌慶宮、慶熙宮の5大宮廷は、建築美に優れ、宗廟、朝鮮王陵などの世界遺産からもソウルの価値と歴史が感じられる。また、国際都市(국제도시)にふさわしい様々な文化空間も多く、歴史のある南大門市場(남대문시장)と東大門市場、伝統文化の街である仁寺洞、観光客のためのショッピング街の明洞は、それぞれ異なる魅力を持っている。そして、南山のソウルタワー(남산 서울타워)、スカイソウル(스카이 서울)、ワールドカップ競技場(월드컵경기장)、COEX(스타필드 코엑스몰)、東大門デザインプラザ（동대문디자인플라자、DDP）などは、ソウルを代表する現代的な建築物として、市民や観光客が多く訪ねるところでもある。

⫶⫶⫶ 釜山広域市

　釜山広域市は、大韓民国第2の都市であり、韓国最大の貿易都市(무역도시)である。1876年、韓国初の国際港である釜山港の開港以降、物流のハブとして発展してきた。2005年にはAPEC(아시아 태평양 경제 협력체, Asia Pacific Economic Cooperation)が開催され、釜山国際映画祭(부산국제영화제)、海祭り(바다 축제)、花火大会(불꽃놀이)など全国的にも有名な祭りが毎年開催されている。また、アジア最大規模の文化複合空間を誇る百貨店や、避暑地としても有名な海雲台(해운대)、水営湾ヨット競技場(수영만 요트경기장)などの名所が多数存在する観光都市である。地理的には韓国最南端に位置しており、朝鮮戦争当時は、朝鮮半島北部からの避難民が山麓に村を設置し、臨時政府の首都としての機能も果たした歴史的な都市でもある。

《 釜山国際映画祭 》

||| 済州特別自治道

　済州島は、朝鮮半島の南にある島で、行政区域としては「済州特別自治道」に属する。風、石、女が多いとして「三多島」(삼다도)とも呼ばれる。三多島という名称の中からは、厳しい自然環境を懸命に克服してきた済州の人々の生活の歴史がうかがえる。また、長い年月をかけ、数回の火山活動(화산활동)を経て形成された火山島としても有名である。独特の火山地形と生物の多様性が認められ、火山島と溶岩洞窟全体がユネスコ世界遺産に登録された。韓国でもっとも高い山である漢拏山(한라산)の火山活動で生成された約360あるオルム（오름，寄生火山）とトレッキングコースのオルレ(올레)には、済州の自然が深く感じられる。天恵の自然だけでなく、博物館、美術館のような文化施設、テーマパークなどの観光施設も多い、韓国一のリゾート地である。

済州オルレ

　オルレとは、路地(골목길)、山道(산길)、海岸道(해안길)、オルムなどをつないで島全体を一周できるようにしたトレッキングコースをいう。海岸を一周する21のコースと隣接している島を歩く5つのコースがある。海、森、オルム、牧場などの素晴らしい風景だけではなく、地元住民に出会える村や伝統市場につながるコースもある。オルレは、通りから門までの家に通じる狭い路地を意味する済州島の方言(방언)で、済州の人が生まれて世の中に出ていくために歩く最初の道を象徴している。自然や文化、歴史を五感で感じ、体験できる特別なトレッキングコースであるオルレを一度体験してほしい。日本にも誕生した九州オルレと宮城オルレは、韓国の済州オルレをベンチマーキングしたもので、済州オルレの姉妹版(자매판)とも言われている。

《 済州道 》

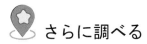 さらに調べる

釜山国際映画祭

　「小さいながらも、権威ある映画祭」を目指して、1996年9月13日に第1回釜山国際映画祭（Busan International Film Festival）が開幕した。ソウルではなく釜山で「国際映画祭」を開催することに多くの懸念も寄せられたが、韓国初の国際映画祭が第一歩を踏み出した。第1回は、31カ国から169の作品を招へいし、6つの映画館での上映を行った。韓国初の国際映画祭から、今は名実ともに韓国最大の国際映画祭にまで成長した釜山国際映画祭は、アジアだけでなく、世界中で多くの映画人と観客が愛する映画の祭典となった。現在は、70〜80カ国から300余りの作品が招へいされ、6館から始まった上映館は、最大37館まで増え、2022年には、合計353作品の映画が上映された（公式の招へい作品は、71カ国の242本とコミュニティーBIFF上映作の111本）。また、2011年に開館した釜山国際映画祭専用館の「映画の殿堂」は、釜山のランドマークになっている。

済州4・3事件

　済州島は、韓国現代史(한국현대사)の中で大きな悲劇(비극)とされる4・3事件（1948年）が起きた場所でもある。数万人が犠牲(희생)となり、130余りの村が焦土化(초토화)し、島の津々浦々(구석구석)まで4・3事件の遺跡地(유적지)ではないところがないと言われている。現在、済州島は観光の島、世界平和の島として生まれ変わった。「真の平和」(진정한 평화)を体験したければ、今の平和を取り戻すまでに済州島が経験した悲劇と受難の時代を知っておかなければならない。済州4・3事件について調べ、平和と人権のための教育の場として建設された4・3平和公園についても話し合ってみよう。

調査する・考える・発表する

- ✓ 青瓦台 청와대
- ✓ 朝鮮通信使歴史館 조선통신사역사관
- ✓ 在韓UN記念公園 재한UN기념공원
- ✓ 李仲燮通り 이중섭 거리
- ✓ 4・3平和公園　4・3평화공원
- ✓ 日韓の観光統計

講義ノート 1 （提出用）

学籍番号： _____ 氏名： _____

講義テーマ： _____

学習目標： _____

_____

_____

_____

_____

_____

_____

_____

_____

_____

_____

_____

_____

_____

_____

_____

講義ノート 2

課題シート（提出用）

学籍番号：＿＿＿＿＿＿＿＿＿＿＿　　氏名：＿＿＿＿＿＿＿＿＿＿＿＿

課題テーマ：＿＿＿＿＿＿＿＿＿＿＿＿＿＿＿＿＿＿＿＿＿＿＿＿＿

＿＿＿＿＿＿＿＿＿＿＿＿＿＿＿＿＿＿＿＿＿＿＿＿＿＿＿＿＿＿＿＿

＿＿＿＿＿＿＿＿＿＿＿＿＿＿＿＿＿＿＿＿＿＿＿＿＿＿＿＿＿＿＿＿

＿＿＿＿＿＿＿＿＿＿＿＿＿＿＿＿＿＿＿＿＿＿＿＿＿＿＿＿＿＿＿＿

＿＿＿＿＿＿＿＿＿＿＿＿＿＿＿＿＿＿＿＿＿＿＿＿＿＿＿＿＿＿＿＿

＿＿＿＿＿＿＿＿＿＿＿＿＿＿＿＿＿＿＿＿＿＿＿＿＿＿＿＿＿＿＿＿

＿＿＿＿＿＿＿＿＿＿＿＿＿＿＿＿＿＿＿＿＿＿＿＿＿＿＿＿＿＿＿＿

＿＿＿＿＿＿＿＿＿＿＿＿＿＿＿＿＿＿＿＿＿＿＿＿＿＿＿＿＿＿＿＿

＿＿＿＿＿＿＿＿＿＿＿＿＿＿＿＿＿＿＿＿＿＿＿＿＿＿＿＿＿＿＿＿

＿＿＿＿＿＿＿＿＿＿＿＿＿＿＿＿＿＿＿＿＿＿＿＿＿＿＿＿＿＿＿＿

＿＿＿＿＿＿＿＿＿＿＿＿＿＿＿＿＿＿＿＿＿＿＿＿＿＿＿＿＿＿＿＿

＿＿＿＿＿＿＿＿＿＿＿＿＿＿＿＿＿＿＿＿＿＿＿＿＿＿＿＿＿＿＿＿

質問事項

＿＿＿＿＿＿＿＿＿＿＿＿＿＿＿＿＿＿＿＿＿＿＿＿＿＿＿＿＿＿＿＿

＿＿＿＿＿＿＿＿＿＿＿＿＿＿＿＿＿＿＿＿＿＿＿＿＿＿＿＿＿＿＿＿

＿＿＿＿＿＿＿＿＿＿＿＿＿＿＿＿＿＿＿＿＿＿＿＿＿＿＿＿＿＿＿＿

韓国の就職活動 한국의 취업활동

学習目標

◆ 韓国の就職活動の特徴について理解できる。

◆ 韓国と日本の企業における面接の特徴について説明できる。

◆ 韓国と日本における就職活動について比較できる。

韓国の就職活動

　韓国では職業（직업）を探すための競争がとても激しい。また全体の労働者（노동자）のうち、非正規職労働者（비정규직 노동자）が占める比率が高くなり、賃金（임금）や勤労条件（근로조건）などで相対的に不利な待遇を受けることもある。政府は就職（취직）支援として、様々な取り組みを行っている。失業者（실업자）の再就職支援プログラムの提供や、失業者と労働者の基本的な生活を保障する社会保障制度（사회보장제도）の拡大などがその例として挙げられる。雇用労働部（고용노동부）は対象に合わせた職場政策を提供している。例えば、職を求めている青年には「求職活動支援金」（구직활동 지원금）を提供したり、個別に就業計画を立て段階的に実行できるようにサポートしたりする「就職成功パッケージ」（취직성공패키지）制度が実施されている。また仕事と育児を両立できる環境を作るため、女性と男性に出産・育児休職制度を勧めている。そして、女性の「時間選択制勤務」（시간선택제 근무）ができる職場が増加している。また最近は引退後にも働きたい人々が増加しているため、60歳以上の雇用安定と再就職のための支援も行われている。

　　　　※雇用労働部・就職成功パッケージ　https://www.work.go.kr/pkg/succ/index.do

韓国企業の面接

　韓国の企業では、一般的に次の3種の面接を実施している。

1．一般面接

一般面接(일반 면접)は、 会社によって志願者の1名〜3名程度で実施することが多い。

2．PT面接

　PT面接 (PT면접)とは、志望した分野と関連のあるテーマを選択して発表する面接で、プレゼンテーション面接ともいう。面接官はPT面接を通して、志願者がその分野についてどのくらい勉強しているか (知っているか)、いかに発表を上手に行うか、態度がいいかなどを把握する。

3．討論（ディスカッション）面接

　あるテーマに対して理由・根拠に基づき主張することが討論ですが、志願者の性格と態度、知識レベルを知るために、この討論面接(토론 면접)を行う会社がある。

▼ よく出題される討論テーマ

① 尊厳死
② 死刑制度
③ 公共場所でのCCTV設置
④ 公共場所での喫煙
⑤ 外国語の早期教育
⑥ 子ども制限区域
⑦ 少年法
⑧ 最低賃金の引き上げ

||| 面接時の注意点

▼ 一般事務職

1. 服装
・スーツ：ブラックやネイビー、グレーのスーツが良い。
・シャツ：ホワイトや淡いブルー、淡いピンクが良い。
・ネクタイ：明るい色、複雑な模様が入っていないものが良い。
・スカート：派手な色やワンピースは避ける。

2. 化粧
濃い化粧は避ける。マニキュアや派手なアクセサリーも避ける。化粧は軽く薄めの方が良い。

3. ヘアスタイル
濃い色のカラー、派手なパーマは避ける。ドライヤーで髪をきれいにまとめると良い。女性の場合、短髪や適切な長さのストレート髪は良いが、長い髪の場合はきれいに結ぶ。

4. 態度

明るく、元気のある態度で面接を受ける。正しい姿勢で座り、質問を受けた際には、正確な発音と大きな声で、明確にきちんと答える。他の志願者が答えている間は、よそ見したりしない方が良い。

▼ デザイン職

1. 服装

デザイン系の職種では、面接を受ける時、自身の個性をアピールするための服装も悪くない。しかし、面接を受けるので、すっきりした感じに見せることが大切だ。フードが付いたTシャツにジーンズ、スニーカーのような服装は礼儀に反する。個性をアピールしながら、礼儀に反しない衣装を適切に選択すべきである。

2. 化粧とヘアスタイル

派手すぎないようにした方が良い。自分の個性を見せることも重要だが、TPO(Time, Place, Occasion)に合わせて着ることも自分を見せることとなるため、十分に気をつけること。

部署と職位

▼ 一般部署やチームにおける職位

- インターン社員：正式な社員になる前の課程
- 社員：正規職において、もっとも基本となる職位
- 代理（係長／主任）：社員より上の職位で、担当者級の業務を遂行する人
- チーム長（課長）：各チーム（課）を統括する管理者
- 次長：部長の職務代行が可能な管理者
- 部長：各部署の責任を担う管理者

▼ 役員の職位

- 理事：大企業の場合、グループ長に該当
    特定の部署を任され、会社全般の経営に参加する人
- 常務：社長と副社長を補佐しながら、会社の日常的な業務を中心に管理する人
- 専務：社長と副社長を補佐しながら、会社の全体的な業務を統括する人
- 副社長：社長を代行して、単独の決定を下すことができる役員
- 社長：会社全体の責任を担う経営者
- 副会長：会長を代行して、単独の決定を下すことができる役員
- 会長：会社全体の責任を担う経営者

||| ワークネット

　ワークネット（워크넷）とは、韓国の雇用労働部と韓国雇用情報院が運営する求職・求人の情報と職業・進路情報を提供するサイトのことである。ワークネットの統合職場サービスを通して地方自治団体と企業が提供する職場情報を簡単に検索できる。ここではオンライン求職申請、email入社支援、利用者に合わせた情報サービス、求職活動事項の照会・出力サービスなどが利用できる。

※ワークネット　https://www.work.go.kr

||| 韓国ドラマ『未生』

　ドラマ『未生』（『미생』2014年）は、「会社員の教科書」（회사원의 교과서）と呼ばれるほど話題になった。ユン・テホ（윤태호）の人気漫画『未生』を原作としたtvNの8周年特別企画ドラマ(특별기획 드라마)として、2014年10月17日から12月21日まで金・土ドラマとして午後8時30分から放映された。非正規雇用とインターンなど、新米社員の境遇（身分）を「大石」の先が決まっていない状態を指す囲碁用語の「未生」に比喩して表現し、囲碁だけが人生のすべてだと考えていた主人公

チャン・クレが、プロ入団に失敗し、平凡な会社員として経験する喜怒哀楽が描かれている。2014年、韓国で最も代表的なドラマの一つとされ、会社員の間で人気となり、社会人の苦労と現代人の生き方をよく描いた作品との高い評価を得た。

　2015年1月時点で、数多くの広告依頼を受け、禁煙パッチ、飲料水、酒、保険、文具、英語塾、ゲームアプリケーション、インターネットショッピングモール、通信、ウォーターパーク、ピザなどのブランドの広告があった。ドラマの放映初期には、PPL（간접광고，間接広告）かどうか区別できないほど、現実的感覚の溢れるPPL広告が大変好評だった。

《 スプーン階級論 》

"오늘도, 출근했습니다."

《 今日も出勤しました！》

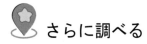 さらに調べる

スペック(SPEC, Specification)

スペック（스펙）は、2004年に作られた新造語である。就職活動において、大学時代に自身が獲得し積み上げてきた外的条件の総体で、学歴、成績、英語など各種資格試験の点数、留学、インターン、ボランティアの経験などを指標化したものを意味する。

間接広告・PPL(Product Placement)

韓国の映画やドラマなどで「このプログラムには、間接広告が含まれています。」という案内を見たことがあるかもしれない。これは、映画・ドラマ・テレビ番組などのコンテンツにおいて、企業のロゴ、商品を間接的に露出させる方法の広告である。商品取扱書のような「商品に関する理解度を高める広告効果」が得られると言われている。

女性の経済活動

かつては会社員のほとんどが男性だったが、徐々に男女の大学進学率が同等となり、女性の社会進出が活発になってきた。また、共働き夫婦(맞벌이 부부)も増加しているが（共働き世帯比率46,3％、統計庁、2019）、既婚女性の多くは、出産と育児のために退職せざるを得なくなり、このため「経歴断絶」(경력단절)を経験する。子どもをある程度まで育てた後に、再び働きたい女性たちのための再就職と創業を支援する教育および政策が施行されている。

※経歴断絶：勉強や仕事を辞めてから、新しい職場に入るまでに経歴がない状態。経歴が一時期中断した女性を「経断女 (경단녀)」ともいう。

「ウォラベル」

社会労働、家事労働のような社会生活と休息、遊び、余暇生活、食事などのような基礎生活のバランスを取ることをウォラベル（워라밸, Work−Life Balance）という。

調査する・考える・発表する

✓ 「スプーン階級論」 수저 계급론

✓ 「Metoo運動」 미투운동

✓ 日韓企業の面接

✓ パープルカラー 퍼플 컬러

✓ 映画『82年生まれ、キム・ジヨン』 『82년생 김지영』 2019年

講義ノート 1 （提出用）

学籍番号：＿＿＿＿＿＿＿＿＿＿＿＿＿＿　氏名：＿＿＿＿＿＿＿＿＿＿＿＿＿＿＿

講義テーマ：＿＿＿＿＿＿＿＿＿＿＿＿＿＿＿＿＿＿＿＿＿＿＿＿＿＿＿＿＿＿＿

学習目標：＿＿＿＿＿＿＿＿＿＿＿＿＿＿＿＿＿＿＿＿＿＿＿＿＿＿＿＿＿＿＿＿

＿＿＿＿＿＿＿＿＿＿＿＿＿＿＿＿＿＿＿＿＿＿＿＿＿＿＿＿＿＿＿＿＿＿＿＿＿

＿＿＿＿＿＿＿＿＿＿＿＿＿＿＿＿＿＿＿＿＿＿＿＿＿＿＿＿＿＿＿＿＿＿＿＿＿

＿＿＿＿＿＿＿＿＿＿＿＿＿＿＿＿＿＿＿＿＿＿＿＿＿＿＿＿＿＿＿＿＿＿＿＿＿

＿＿＿＿＿＿＿＿＿＿＿＿＿＿＿＿＿＿＿＿＿＿＿＿＿＿＿＿＿＿＿＿＿＿＿＿＿

＿＿＿＿＿＿＿＿＿＿＿＿＿＿＿＿＿＿＿＿＿＿＿＿＿＿＿＿＿＿＿＿＿＿＿＿＿

＿＿＿＿＿＿＿＿＿＿＿＿＿＿＿＿＿＿＿＿＿＿＿＿＿＿＿＿＿＿＿＿＿＿＿＿＿

＿＿＿＿＿＿＿＿＿＿＿＿＿＿＿＿＿＿＿＿＿＿＿＿＿＿＿＿＿＿＿＿＿＿＿＿＿

＿＿＿＿＿＿＿＿＿＿＿＿＿＿＿＿＿＿＿＿＿＿＿＿＿＿＿＿＿＿＿＿＿＿＿＿＿

＿＿＿＿＿＿＿＿＿＿＿＿＿＿＿＿＿＿＿＿＿＿＿＿＿＿＿＿＿＿＿＿＿＿＿＿＿

＿＿＿＿＿＿＿＿＿＿＿＿＿＿＿＿＿＿＿＿＿＿＿＿＿＿＿＿＿＿＿＿＿＿＿＿＿

＿＿＿＿＿＿＿＿＿＿＿＿＿＿＿＿＿＿＿＿＿＿＿＿＿＿＿＿＿＿＿＿＿＿＿＿＿

＿＿＿＿＿＿＿＿＿＿＿＿＿＿＿＿＿＿＿＿＿＿＿＿＿＿＿＿＿＿＿＿＿＿＿＿＿

＿＿＿＿＿＿＿＿＿＿＿＿＿＿＿＿＿＿＿＿＿＿＿＿＿＿＿＿＿＿＿＿＿＿＿＿＿

＿＿＿＿＿＿＿＿＿＿＿＿＿＿＿＿＿＿＿＿＿＿＿＿＿＿＿＿＿＿＿＿＿＿＿＿＿

講義ノート 2

課題シート（提出用）

学籍番号： _____　氏名： _____

課題テーマ： _____

_____

_____

_____

_____

_____

_____

_____

_____

_____

_____

_____

質問事項

_____

_____

_____

○ 参考文献 ○

국립국어원기획 · 이미혜 외 (2020) 『법무부 사회통합프로그램(KIIP) 한국어와 한국문화 중급 1』(주)도서출판 하우

국립국어원기획 · 이미혜 외 (2020) 『법무부 사회통합프로그램(KIIP) 한국어와 한국문화 중급 2』(주)도서출판 하우

김경은 · 차경희 · 이태호 · 한문희 · 정재환 (2022) 『한국 문화의 풍경』 종이와 나무

김슬옹 (2013) 『세종, 한글로 세상을 바꾸다－소통과 어울림의 글자 한글 이야기』 창비

법무부 출입국 · 외국인정책본부 (2020) 『사회통합프로그램(KIIP) 한국사회 이해:기본』 박영 스토리

법무부 출입국 · 외국인정책본부 (2020) 『사회통합프로그램(KIIP) 한국사회 이해:기본 교사용 지도서』 박영스토리

법무부 출입국 · 외국인정책본부 (2020) 『사회통합프로그램(KIIP) 한국사회 이해:심화』 박영 스토리

법무부 출입국 · 외국인정책본부 (2020) 『사회통합프로그램(KIIP) 한국사회 이해:심화 교사용 지도서』 박영스토리

세종대왕 원작, 이영호 글 (2019) 『국민보급형 훈민정음 해례본』(주)달아실 출판사

양승국 · 박성창 · 안경화 (2014) 『외국인을 위한 한국문화 30강』(주)박이정

윤석진 편 (2022) 『K－Culture로 만나는 한국/한국인 1』 북마크

윤석진 편 (2022) 『K－Culture로 만나는 한국/한국인 2』 북마크

천수연 · 장한님 · 차상아 (2021) 『꼭 알아야 할 한국문화 100』(주)박이정

최권진 · 남은영 · 박혜란 · 이숙진 (2022) 『유학생을 위한 한국 문화 입문』(주)박이정

한문희 · 김경옥 (2019) 『신나는 교과 체험학습 20 세계가 놀라는 우리의 글자 훈민정음』 개정 3판, 주니어김영사

キム・スロン著、前田真彦監訳 (2022) 『世宗、ハングルで世の中を変える：ハングルの創製の物語』 (株) クオン

朴貞蘭 (2019) 「韓国「道徳科」教科書における「統一教育」の特徴」『大分県立芸術文化短期大学研究紀要』第56巻、大分県立芸術文化短期大学

歴史教育研究会 (日本) ・歴史教科書研究会 (韓国) 編 (2007) 『日韓歴史共通教材 日韓交流の歴史 先史から現代まで』明石書店

○ 関連機関のホームページ ○

・第1課

국가통계포털（国家統計ポータル）https://kosis.kr/

통계청（統計庁）https://kostat.go.kr/

행정안전부（行政安全部）http://www.mois.go.kr/

・第2課

간송미술관（澗松美術館）http://kansong.org/museum/

국립한글박물관（国立ハングル博物館）https://www.hangeul.go.kr/

세종대왕기념사업회（世宗大王記念事業会）http://sejongkorea.org/

・第3〜4課

남산골한옥마을（南山韓屋村）https://www.hanokmaeul.or.kr/

뮤지엄 김치간（ミュージアム・キムチガン）https://www.kimchikan.com/

상주박물관 전통의례관（尚州博物館・伝統儀礼館）https://www.sangju.go.kr/museum/

한국국제문화교류진흥원（韓国国際文化交流振興院）https://kofice.or.kr/

한국한복진흥원（韓国韓服振興院）https://www.hankukhanbok.or.kr/

・第5課

경주문화관광（慶州文化観光）https://www.gyeongju.go.kr/tour/

유네스코와 유산（ユネスコと遺産）https://heritage.unesco.or.kr/

유네스코 한국위원회（ユネスコ韓国委員会）https://www.unesco.or.kr/

・第6課

경기도 교육청（京畿道教育庁）https://www.goe.go.kr/

국립통일교육원（国立統一教育院）https://www.uniedu.go.kr/

국제시장（国際市場）http://gukjemarket.co.kr/

통일부（統一部）https://www.unikorea.go.kr/unikorea/

・第7課

정부24 기관정보（政府24・機関情報）https://www.gov.kr/

중앙선거관리위원회（中央選挙管理委員会）https://www.nec.go.kr/

・第8課

공정거래위원회（公正取引委員会）https://www.ftc.go.kr/

한국무역협회（韓国貿易協会）https://www.kita.net/

・第9課

대한민국 구석구석（大韓民国津々浦々）https://korean.visitkorea.or.kr/

부산관광공사（釜山観光公社）https://bto.or.kr/

서울관광재단（ソウル観光財団）https://korean.visitseoul.net/

제주관광공사（済州観光公社）https://ijto.or.kr/

제주올레（済州オルレ）https://www.jejuolle.org/

한국관광공사（韓国観光公社）https://kto.visitkorea.or.kr/

VISIT KOREA　https://japanese.visitkorea.or.kr/jpn/

・第10課

고용노동부（雇用労働部）https://www.moel.go.kr/

워크넷（ワークネット）https://www.work.go.kr/

취직성공패키지（就職成功パッケージ）https://www.work.go.kr/pkg/succ/

━━━━━━━━━━━━━━◯ **著者紹介** ◯━━━━━━━━━━━━━━

朴 貞蘭（송빈・박 정란, パク・ジョンラン）

名古屋大学大学院文学研究科博士後期課程満期退学　博士（文学）
現在、愛知大学国際コミュニケーション学部　准教授
著書：
『「国語」を再生産する戦後空間』（三元社、2013年）
『就職・留学に役立つ韓国語ワークブック−調べる・考える・発表する』（博英社、2023年）
共訳：
『노래하는 신체』（어문학사、2020年）
『百年の変革　三・一運動からキャンドル革命まで』（法政大学出版局、2021年）

知りたい！韓国の文化と社会　入門編

初版発行　2023年5月31日
第2刷発行　2024年4月1日

著　者　朴 貞蘭
発 行 人　中嶋 啓太

発 行 所　博英社
　　　　　〒 370-0006 群馬県 高崎市 問屋町 4-5-9 SKYMAX-WEST
　　　　　TEL 027-381-8453 / FAX 027-381-8457
　　　　　E・MAIL hakueisha@hakueishabook.com
　　　　　HOMEPAGE www.hakueishabook.com

ISBN　　　978-4-910132-48-8

定　　価　2,200円 (本体 2,000円)